HOLY BIBLE WORD-FINDS™

Volume 2

For more puzzle fun go to www.kappapuzzles.com

KAPPA Books
A Division of KAPPA Graphics, LP

1 All Aboard the Ark!

NOAH'S ARK

was of GOPHER

WOOD and

was PITCHED

WITHIN and

WITHOUT.

Its LENGTH

was THREE

HUNDRED

CUBITS,

its BREADTH

FIFTY, and

its HEIGHT

THIRTY. It

had a WINDOW,

a DOOR, and

had LOWER,

SECOND,

and THIRD

LEVELS.

Noah TOOK

A MALE and

FEMALE

of EVERY

SPECIES,

PLUS

FOOD

FOR ALL.

E	L	A	M	E	F	P	E	E	G	A	I	T	T	S	A
V	I	V	J	F	L	D	N	D	H	D	M	H	W	L	D
Y	S	J	I	L	G	H	N	P	W	W	D	A	J	E	L
P	T	F	A	E	D	U	M	Y	W	I	F	Y	L	V	Y
W	T	R	G	X	E	E	T	L	P	N	T	Q	N	E	S
Y	O	L	I	Q	P	R	R	O	O	D	J	H	U	L	O
F	O	O	D	H	I	K	H	D	H	O	S	D	O	N	Z
F	C	U	B	I	T	S	P	T	N	W	Y	R	O	U	I
B	R	X	W	F	C	D	D	D	Q	U	E	A	P	X	T
L	E	N	G	T	H	A	I	W	H	H	H	T	F	H	N
U	V	I	L	S	E	I	C	E	P	S	N	E	R	X	A
I	E	H	J	R	D	T	I	O	A	S	E	Y	E	S	J
E	R	T	B	O	S	G	G	R	Z	T	K	C	W	G	S
B	Y	I	O	T	H	U	K	S	G	Y	O	V	O	K	Q
Q	K	W	D	T	F	T	L	U	A	M	O	I	L	N	D
U	C	W	M	H	I	H	F	P	K	I	T	H	I	R	D

2 Psalms 27:7-9

Hear, O LORD,

WHEN I

CRY with

my VOICE:

HAVE

MERCY also

UPON me,

and ANSWER me.

When THOU

SAIDST, “Seek

ye my FACE”;

my HEART

said UNTO

THEE,

“THY face,

Lord, WILL

I SEEK.”

HIDE

NOT thy

face FAR

FROM me;

PUT not

thy SERVANT

AWAY in

ANGER,

thou HAST

BEEN FORSAKE

my HELP; me, O GOD of

LEAVE me my SALVATION.

not, NEITHER

S	F	P	J	A	C	J	E	A	A	Y	E	O	R	T	P
K	A	X	N	W	W	C	S	F	W	A	B	V	I	W	F
F	C	G	P	A	B	F	K	H	L	A	G	E	A	H	N
G	E	A	X	U	M	W	E	S	C	R	Y	M	E	E	Y
R	E	J	O	W	L	L	E	J	L	R	S	C	I	N	L
R	H	H	G	I	P	L	S	A	I	D	S	T	R	I	U
P	T	H	U	T	S	Z	I	R	F	D	H	O	K	E	B
I	X	G	K	Y	H	E	T	W	O	E	J	N	C	F	M
M	I	I	I	O	L	O	R	D	R	J	M	I	U	E	N
I	R	A	F	A	C	G	N	V	S	Q	O	W	V	E	D
V	E	M	U	A	N	O	I	T	A	V	L	A	S	Y	V
B	W	U	L	H	G	S	M	B	K	N	H	I	F	W	S
U	S	K	M	Z	T	T	R	A	E	H	T	D	F	K	F
X	N	T	H	U	N	E	D	L	E	S	M	O	P	E	T
Y	A	T	U	K	M	O	R	F	A	O	N	G	J	H	B
B	W	N	O	P	U	I	Q	H	I	D	E	O	Y	G	V

3 Divine Inspiration

Ernest HEMINGWAY

was INSPIRED

by the BIBLE

when he NEEDED

a TITLE

FOR HIS

NOVEL about

an AMERICAN

FIGHTING

in ITALY

DURING

the FIRST

WORLD War. The

inspiring VERSE:

“The SUN

ALSO rises,

AND THE sun

goes DOWN,

and HURRIES

to its PLACE

WHERE it

RISES.”

The LEGENDARY

AUTHOR

CHOSE the

first FOUR

WORDS of | 1:5,
THIS verse, | for his BOOK'S
FOUND in | NAME.
ECCLESIASTES |

I	A	G	H	E	N	G	P	D	N	U	O	F	D	U	A
V	L	Y	N	A	Z	U	D	K	E	I	P	U	H	O	M
B	S	W	M	Q	A	Y	S	T	S	D	R	S	Y	C	H
P	O	E	M	C	S	N	S	Q	H	I	E	L	B	I	B
D	L	O	X	H	A	I	A	C	N	I	A	E	F	K	A
R	X	A	K	O	S	M	H	G	R	T	S	O	N	A	P
I	N	R	C	S	H	D	E	R	I	P	S	N	I	L	P
S	T	O	F	E	E	L	U	R	O	T	R	K	E	S	H
E	D	H	L	X	M	H	U	A	I	F	N	G	G	D	L
S	E	T	S	A	I	S	E	L	C	C	E	O	N	R	X
W	I	U	P	T	N	L	E	V	O	N	A	L	I	O	H
T	O	A	S	B	G	L	V	X	D	X	I	N	T	W	I
P	H	R	D	K	W	D	E	A	A	N	D	T	H	E	N
W	I	D	L	M	A	Z	R	E	R	E	H	W	G	G	T
F	O	U	R	D	Y	Y	S	K	H	K	T	P	I	O	L
B	N	G	C	E	D	S	E	B	O	I	J	U	F	L	T

4 Acts 2:1-3

And WHEN

the DAY OF

PENTECOST

was FULLY

COME,

they WERE

ALL WITH

one ACCORD

IN ONE PLACE.

And SUDDENLY

THERE

CAME a

SOUND

from HEAVEN

as of a RUSHING

MIGHTY WIND,

AND IT

filled ALL THE

HOUSE

WHERE they

were SITTING.

And there

APPEARED

unto them CLOVEN

TONGUES like

as of FIRE,

and IT SAT upon

EACH of them. And

they were all FILLED

WITH THE

HOLY GHOST.

S	S	H	T	I	W	L	L	A	E	H	N	Y	E	A	V
X	O	U	O	E	A	C	H	O	D	O	L	R	H	E	N
M	U	T	D	C	L	O	V	E	N	L	P	M	T	C	L
D	N	J	C	D	U	D	R	K	U	Y	C	T	H	A	F
M	D	A	F	S	E	A	X	F	W	G	T	K	T	M	G
W	M	E	E	L	E	N	E	R	E	H	T	O	I	R	Z
E	R	T	L	P	H	G	L	R	R	O	E	G	W	A	P
G	C	I	P	H	T	U	I	Y	E	S	H	N	Y	I	U
C	F	A	H	A	L	F	S	I	T	T	I	N	G	L	U
E	O	T	L	E	L	M	Y	E	Y	Z	Z	J	R	W	D
L	M	X	A	P	A	U	K	W	U	W	F	U	A	L	R
R	Q	O	K	S	E	V	I	Q	W	G	S	C	N	Q	O
T	S	O	C	E	T	N	E	P	P	H	N	L	D	Q	C
C	F	O	Y	A	D	I	O	N	I	F	E	O	I	H	C
O	J	P	M	C	R	G	H	N	V	I	W	R	T	A	A
A	T	Z	R	D	M	T	G	L	I	V	Q	W	E	U	C

5 Psalms 9:1-3

I WILL

PRAISE thee,

O LORD,

WITH my

WHOLE

HEART; I

will SHEW

FORTH

ALL THY

MARVELOUS

WORKS. I

will be GLAD

and REJOICE in

THEE: I will

SING praise

TO THY

NAME,

O THOU

MOST HIGH.

When MINE

ENEMIES

are TURNED

BACK, FALL and

THEY PERISH at

SHALL thy PRESENCE.

M	J	X	T	Z	O	H	W	L	E	C	L	D	D	O	S
Y	H	T	O	T	L	I	T	V	T	M	T	P	E	S	L
J	G	W	V	C	O	U	T	H	Q	H	B	G	A	U	M
S	B	N	S	J	R	C	P	R	E	I	S	K	R	O	W
Y	P	W	D	N	D	A	G	P	A	E	P	A	S	L	Q
F	P	R	E	S	E	N	C	E	P	E	I	T	H	E	Y
P	S	D	R	H	I	Z	D	B	C	Y	H	K	J	V	E
L	E	Q	T	S	E	P	R	U	Q	I	J	V	C	R	E
Q	O	R	W	S	Q	T	K	O	G	Q	O	C	E	A	H
D	O	T	I	D	G	K	V	H	P	L	I	J	N	M	F
F	S	A	T	S	Y	K	H	T	H	S	A	E	E	J	A
H	R	W	H	D	H	B	C	O	H	P	Z	D	M	R	A
P	E	U	H	M	T	J	N	A	M	E	X	F	I	E	K
Q	N	I	L	O	L	G	L	H	B	W	A	W	E	H	S
Q	I	I	W	I	L	L	L	N	Z	L	F	G	S	W	B
T	M	L	C	W	A	E	Y	M	L	L	W	Y	K	V	J

6 Animals of the Bible

ADDAX
APE
BADGER
BAT
BEAR
BEHEMOTH
BOAR
CALF
CAMEL
CHAMELEON
CHAMOIS
CONEY
COW
DOG
DRAGON
DROMEDARY
ELEPHANT
FALLOW-DEER
FERRET
FISH
FOX
FROG
GOAT
GOPHER
HARE
HORSE
KANGAROO
LAMB
LEOPARD
LION
LIZARD
LOCUST
MOLE
MOUSE

MULE
OXEN
SHEEP
SWINE
TORTOISE
TURTLE
UNICORN
WEASEL
WHALE
WOLF

T R Z F H S I F C X A D D A W I
W Y E L R I S H H Y T T B O K I
F H Q G A O A M A Z S M C T A B
E A A C D M G J U U T A F A C D
R W L L E A B E C U M U L O O D
R L E L E H B O R E H P O G N N
E H E A O C L T L A G K W K E E
T O T P S W L A U N H L E S Y X
N D R O M E D A R Y R B I L E O
O R Q S M L L E P L E O P A R D
G A E P E E H S E A T O C A B N
A Z G P X P H X R R E F E I Q G
R I V P A H K E O K L S W I N E
D L I O N A J T B A U F R F L U
O O R A G N A K C O M K B O A R
L L O K H T Q D M W W H M X H J

7 Biblical Men: N & O

NAAM
NAARAI
NABOTH
NADAB
NAGGE
NAHARAI
NAHASH
NAHBI
NAHOR
NAHUM
NAPHTALI
NARCISSUS
NATHANAEL
NEBUCHADNEZZAR
NEHEMIAH
NEMUEL
NEREUS
NICODEMUS
NICOLAS
NIMROD
NOAH
NOGAH
OBADIAH
OBED
ODED
OLYMPAS

OMAR

OMRI

ONAN

OPHIR

OREN

OTHNI

OZEM

OZIAS

OZNI

R	W	Y	O	N	H	N	I	M	R	O	D	N	N	O	O
A	S	X	N	S	P	N	A	G	G	E	C	E	B	L	X
Z	G	O	A	H	O	D	I	A	B	W	O	R	A	V	Z
Z	V	H	N	G	E	A	Z	N	R	C	W	E	D	K	Q
E	A	F	A	D	R	O	I	F	E	A	N	U	A	M	E
N	L	H	O	A	O	U	O	S	H	R	I	S	N	I	C
D	E	S	H	B	L	E	U	M	E	N	O	A	O	E	Z
A	A	A	E	I	A	S	S	D	L	M	P	P	Z	I	V
H	N	D	T	V	S	D	Q	H	A	H	X	M	E	X	T
C	A	D	O	I	U	D	I	R	T	M	V	Y	M	F	S
U	H	I	C	Z	B	S	I	A	S	O	N	L	U	P	A
B	T	R	M	T	N	H	L	B	H	O	B	O	H	N	I
E	A	F	F	E	O	I	A	V	Q	W	T	A	A	F	Z
N	N	I	R	I	H	P	O	N	A	A	M	H	N	H	O
X	N	I	C	O	D	E	M	U	S	H	O	R	N	X	N
K	S	A	L	O	C	I	N	R	I	R	M	O	K	I	A

In THOSE

DAYS came

JOHN

the BAPTIST,

PREACHING

IN THE

WILDERNESS

of JUDEA,

and SAYING,

“REPENT ye:

FOR THE

KINGDOM of

HEAVEN is

AT HAND.

For THIS is

HE THAT was

SPOKEN OF by

the PROPHET

ESAIAS, saying,

‘The VOICE

OF ONE

CRYING in the

wilderness,

PREPARE ye

THE WAY of

THE LORD,

MAKE

His PATHS

STRAIGHT.' ”

T L C B Y R H J T F P R A J X L
E S A I A S S S E N R E D L I W
H T J K O F T O S N E E D X E D
P V Y R O R V A E Z A N L W K K
O A E R A P E R P Z C F T A A R
R Y T I P D U X F K H S N T M U
P H G H U T T N A O I S I H T O
E H E J S K C E S T N N O A O V
T H E L O R D V P A G E G N C J
P H E O Y N A A E H Y X K D P P
C K O I P A B E G T N I H O O T
T J N S Y P W H B E O C N E P M
V G Y N E R Q E Q H F K H G I S
W A L E C I O V H U O T C C J B
D I L M Y K D R J T N E P E R F
X H I F Q K H N C I E V R P M E

9 I Corinthians 11:23-25

LORD

JESUS

the SAME

NIGHT

in WHICH

He was BETRAYED

took BREAD:

And WHEN

HE HAD

GIVEN

THANKS,

HE BROKE it,

AND SAID,

"TAKE, EAT:

THIS IS

my BODY, which

is BROKEN

FOR YOU;

THIS DO in

REMEMBRANCE

of me."

AFTER the

same MANNER, also

He TOOK

THE CUP,

SAYING, "This cup

THANKSGIVING,

and INTO

His COURTS

with PRAISE;

be THANKFUL unto

Him,

and BLESS

His NAME.

K Y C L R T B L E S S B S J I M
Z G W N A M E L N E S I O N S R
R I N W O N K D T K O Y E V T P
P R A I S E D F E J F S L A M I
P Q S E V L E S R U O B P C D K
G R A O P I T S L I Z L O O R H
A T E E D E G O S M Q U E M O C
T A E S C B I S N G X F P M L F
E H Y K E O E N K D T K F H G G
S T N F A N U D T N N N P G Z R
U D O C D M C R A O A A A U H K
S R O A L L Y E T M E H S A I W
E Z L G N I G N I S T T T J E I
R G D Y S P U H M I N H U A K P
V V A K P I C T W A H K R Y C A
E R R R U E A F M G T E E H O L

11 Psalms 33:18-22

BEHOLD,

the EYE

of THE LORD

is UPON

them THAT

FEAR Him,

upon THEM

that HOPE

in HIS MERCY;

to DELIVER

their SOUL

FROM DEATH, and

to KEEP

them ALIVE

in FAMINE.

OUR soul

WAITETH

FOR the

Lord: HE IS

our HELP

and our SHIELD.

For our HEART

SHALL

REJOICE in

Him, BECAUSE

we HAVE

TRUSTED in

His HOLY

NAME. Let

THY MERCY,

O LORD, be

upon us

ACCORDING

AS WE hope

in THEE.

R	H	L	N	Y	Z	N	K	S	A	T	T	X	B	O	I
R	M	A	S	T	A	E	K	F	X	W	R	R	E	S	B
I	M	W	V	E	H	Z	V	P	A	M	A	C	W	H	Y
E	P	B	Y	E	F	A	D	I	K	E	E	P	L	E	H
X	D	E	T	S	U	R	T	E	L	K	H	H	V	L	O
A	F	H	S	D	W	E	W	S	H	A	L	L	T	B	L
C	E	O	E	U	T	S	L	A	D	L	E	I	H	S	Y
T	A	L	F	H	A	U	C	J	I	N	Y	I	B	I	D
F	R	D	T	R	O	C	P	U	I	D	C	D	Q	B	Y
R	E	E	K	S	O	O	E	M	O	R	R	E	O	M	I
Q	U	A	J	R	L	M	A	B	X	O	E	L	P	R	B
Q	P	O	D	O	T	F	D	G	L	F	M	I	Z	O	B
A	O	I	R	H	I	S	M	E	R	C	Y	V	C	W	H
K	N	D	L	O	F	C	H	G	A	L	H	E	N	A	B
G	O	E	E	H	T	T	E	X	B	T	T	R	V	V	K
P	B	Z	S	K	R	C	N	S	I	E	H	Y	S	I	C

12 Bible Jobs: A-I

AMBASSADOR
APOTHECARY
ARTISAN
ASTROLOGER
BAKER
BANKER
BASKETMAKER
BLACKSMITH
BRICKMAKER
BUILDER
BUTCHER

CARPENTER
CHARIOTEER
CLERK
COOK
CRAFTSMAN
CREDITOR
DESIGNER
DIVINER
DOORKEEPER
ENGRAVER
FARMER

GARDENER

HUNTER

GATEKEEPER

INNKEEPER

GLASSWORKER

INTERPRETER

HERDSMAN

A	G	N	A	M	S	T	F	A	R	C	S	R	C	R	P
Y	R	A	C	E	H	T	O	P	A	U	Q	E	H	E	W
K	R	R	T	X	R	T	R	R	I	R	U	K	A	H	P
P	M	E	O	E	K	E	P	E	E	W	B	N	R	C	H
E	R	G	N	R	K	E	T	N	N	R	B	A	I	T	R
N	H	O	E	I	N	E	E	E	I	G	H	B	O	U	E
G	N	L	D	T	V	D	E	C	R	T	I	A	T	B	P
R	C	O	E	A	R	I	K	P	I	P	X	S	E	T	E
A	O	R	S	A	S	M	D	M	E	A	R	K	E	C	E
V	O	T	G	L	A	S	S	W	O	R	K	E	R	D	K
E	K	S	I	K	Z	K	A	B	C	T	E	T	T	Y	N
R	P	A	E	D	C	C	A	B	O	I	Q	M	W	N	N
R	S	R	O	A	E	K	X	H	M	S	B	A	R	G	I
U	X	R	L	H	E	R	D	S	M	A	N	K	I	A	G
R	G	B	H	R	J	P	C	H	U	N	T	E	R	R	F
B	U	I	L	D	E	R	E	P	E	E	K	R	O	O	D

13 Bible Jobs: J-Z

JAILER
JEWELER
JUDGE
LAWYER
MAGICIAN
MAGISTRATE
MAID
MASON
MERCHANT
MESSENGER
MUSICIAN
PHYSICIAN
POET
PORTER
POTTER
PREACHER
PROPHET
SHEPHERD
SILVERSMITH
SOLDIER
STONECUTTER
TAX COLLECTOR

TEACHER

TENTMAKER

TREASURER

WATCHMAN

WEAVER

WOODSMAN

WRITER

V S M Q N R O N A I C I S U M N
C H T E N T M A K E R E H R A R
N N U Q R A S A H G D F Y I G E
R A G E S C L O G P S C C B I G
E P M O G K H C L I D I A M C N
V S N H I D L A L D S M E S I E
A T C R C B U V N Y I T H X A S
E O M Y E T E J H T N E R P N S
W N R N I R A P Q A P P R A D E
P E E H S I U W M H V P O R T M
R C T M L Z L S E P O R T E R E
O U I E S A D R A U J C I L T P
P T R K W O D P R E A C H E R S
H T W Y O P O T T E R P U W A J
E E E W E R E H C A E T M E T D
T R O T C E L L O C X A T J H E

KING SOLOMON

EXCEEDED

ALL THE kings

of THE EARTH

for RICHES and

for WISDOM. And

all the earth

SOUGHT

to Solomon, TO

HEAR

his wisdom, WHICH

GOD HAD PUT

in his HEART.

And THEY

BROUGHT

EVERY man

his PRESENT:

VESSELS

of SILVER, and

vessels of GOLD,

and GARMENTS,

and ARMOR,

and SPICES,

HORSES,

and MULES,

a RATE

YEAR by year.

D	L	W	D	S	A	Q	M	J	F	I	H	W	G	O	Q
S	B	T	H	E	Y	L	J	Y	R	N	G	F	Y	I	F
H	D	X	J	S	R	X	L	H	R	D	M	F	W	W	P
B	T	F	B	R	I	X	U	T	S	E	C	I	P	S	K
T	R	U	J	O	J	L	L	R	H	Y	V	M	A	I	S
R	O	O	P	H	X	F	V	A	F	E	V	E	N	K	H
S	M	Z	U	D	E	D	E	E	C	X	E	G	W	J	Z
G	R	R	W	G	A	A	S	E	R	Z	S	I	O	D	Y
D	A	K	Y	I	H	H	Q	H	S	O	S	E	Z	L	H
P	R	E	S	E	N	T	D	T	L	D	E	R	L	R	D
D	I	H	C	I	H	W	N	O	O	H	L	Q	A	A	T
A	C	J	L	G	H	E	M	M	G	S	S	E	E	T	S
D	H	T	U	E	M	O	Z	W	T	D	Y	M	S	E	L
O	E	O	A	R	N	V	F	U	F	Z	R	Y	L	N	H
I	S	R	A	E	H	O	T	E	I	S	V	U	U	N	D
R	T	G	E	U	F	H	E	M	E	C	M	O	D	H	Y

15 Psalms 34:1-4

I WILL
BLESS
the LORD
AT ALL
TIMES; His
PRAISE SHALL
CONTINUALLY be
in my MOUTH.
My SOUL
shall MAKE
her BOAST
IN THE
Lord; the HUMBLE
SHALL HEAR
THEREOF, and
be GLAD.
O MAGNIFY the
Lord WITH
ME, AND
LET US
EXALT
His NAME

TOGETHER.

I SOUGHT the

Lord, AND HE

HEARD me,

and DELIVERED

me FROM

ALL MY

FEARS.

A Y E H M H T I W S J K O P S P
M T O W H Y O C W M Y B N H Y E
M P A B M D G N T Z F R O M L L
I W I L L F E A R S E M I T L B
R U L E L Q T L M H A F Y A A M
D A B S T A H T I G H K H Y U U
M N C S D L E P N V K S Q L N H
Y O A K H M R I E B E A O G I D
D O U E C H F X K S N R L Y T I
B R M T M Y A T I D D A E U N W
X R A E H L L A H S D E T D O S
Y O K E T X R E T G F P U E C S
L L E M H P Y D M E U T S H M F
W K M M M M T H E R E O F T P D
B H A S J B N L Z U Y V S N D P
W F N V I J S T V R V I L I Z L

16 Life of Job

BILDAD
BLESSINGS
CAMELS
Desired DEATH
ELIPHAZ
Eschewed EVIL
FAITH
FRIENDS
Feared GOD
GRIEF
Shaved HEAD
HONOR
HOPE
LAND of Uz
MISERY
MISFORTUNES
MOCKED
MORALITY
OXEN
POWER
PRAYER
RESURRECTION

SINCERITY

SINS

SORROW

SUFFERING

TESTED

TRIALS

UPRIGHT

WEALTHY

Y	H	T	L	A	E	W	S	C	K	V	G	D	M	G
T	J	H	Z	U	A	R	D	L	T	J	E	G	G	U
I	R	G	X	Z	E	E	W	A	E	E	V	V	M	P
L	S	I	W	W	A	O	H	G	U	M	S	D	I	R
A	E	R	O	T	R	H	D	O	M	G	A	T	S	L
R	N	P	H	R	P	Y	P	D	N	D	O	C	E	S
O	U	U	O	X	E	N	T	I	L	O	M	Z	R	D
M	T	S	P	H	I	T	S	I	L	C	R	V	Y	C
P	R	A	Y	E	R	S	B	C	R	E	H	F	V	T
N	O	I	T	C	E	R	R	U	S	E	R	T	S	R
D	F	J	V	L	A	N	D	G	F	I	C	N	P	I
A	S	U	B	Z	S	U	F	F	E	R	I	N	G	A
E	I	H	T	I	A	F	W	N	I	S	Q	K	I	L
H	M	M	O	C	K	E	D	H	R	T	X	C	Y	S
T	F	O	T	E	Y	S	Q	X	G	S	H	W	O	S

17 Matthew 6:9-13

Our FATHER,

WHICH

ART IN

HEAVEN,

HALLOWED BE

THY NAME.

Thy KINGDOM

COME,

Thy WILL

BE DONE,

on EARTH as

IT IS IN Heaven.

GIVE US

THIS DAY

our DAILY

BREAD,

and FORGIVE

us OUR DEBTS,

AS WE forgive

our DEBTORS.

And LEAD

us NOT INTO

TEMPTATION,

but DELIVER

us FROM EVIL:

For THINE is the

kingdom, AND THE

POWER,

and the GLORY,

FOREVER.

AMEN.

M M F Q U N W O H S U A Q R W Y
O Y N V P T I H K A S U E V I G
D C H Z I H F T I I N H W Q L D
G F L K Q I V O R C T D A U L A
N I G O B S D F R A H P T F B E
I O E N O D E B F G T E R H T R
K U I E M A N Y H T I O A B E B
U R N T W Y R O L G M V M V U L
R D B H A L L O W E D B E U E K
X E F D D T J G V A R R D A N N
F B V N A J P I X U O H D O E H
K T L I I N L M J F T O T R M B
R S Z S L C O M E R E I E P A M
B J D I Y E A I A T N W A C W Y
F U F T Z E D E B T O R S X Y O
E T H I N E A N O P G Y E A X Z

18 From Numbers 7:1-6

On THE DAY
when MOSES
had FINISHED
SETTING
UP THE tabernacle,
AND HAD
ANOINTED and
CONSECRATED
it AND ALL
its FURNISHINGS,
...the LEADERS
of ISRAEL made
OFFERINGS...
THESE
they PRESENTED
BEFORE the
TABERNACLE.
Then THE LORD
SAID TO Moses,
"ACCEPT these
FROM THEM,
THAT THEY
may BE USED in
DOING the
SERVICE OF
the TENT of
MEETING, and
GIVE THEM

TO THE Levites,

to EACH MAN

ACCORDING

to HIS SERVICE."

So Moses TOOK

the CARTS

and the OXEN,

and GAVE THEM

to the LEVITES.

N A M H C A E Y E A D Y F D E F
M E H T M O R F G E E E A F H U
E O S A I D T O S H L H A I T U
E Q S B D D E U T R D D S N P F
T T H E S E E T N N E S J I U M
I G E R S B A T A T E D I S E F
N S G N I H S I N R U F A H L K
G E N A T W I E V I C T T E Z O
H T I C I F S I R C O E O D L O
L I D L S E C W A V V N S T W T
L V R E R E T R E I I P A N H P
A E O P A H T V G R R C Q U O E
D L C Z E S H T D R O L E H T C
N X C D L S G N I R E F F O V C
A G A V E T H E M N O X E N F A
K Y T N D G D O I N G Y Y B A H

19 Psalms 61:1-4

HEAR MY CRY,

O GOD;

ATTEND

UNTO my

PRAYER.

FROM the

END OF

the EARTH

WILL I cry

unto THEE,

WHEN my

HEART is

OVERWHELMED,

LEAD ME to

the ROCK

THAT is

HIGHER

THAN I.

For THOU

HAST BEEN a

SHELTER for

me, AND

a STRONG

TOWER from

the ENEMY.

I WILL ABIDE in

Thy TABERNACLE

FOREVER.

I WILL TRUST

in the COVER

of Thy WINGS.

D	E	M	L	E	H	W	R	E	V	O	D	V	Y	F	N
Y	D	L	L	Q	R	R	R	Z	T	N	T	H	V	X	Z
R	I	J	C	Z	T	S	P	G	A	E	A	N	R	R	J
C	B	P	R	A	Y	E	R	S	H	S	T	F	U	H	V
Y	A	R	N	Y	N	R	T	F	T	C	T	O	R	Q	K
M	L	K	H	M	R	R	X	B	H	T	E	N	W	O	X
R	L	B	K	E	O	H	E	A	R	T	E	I	G	E	M
A	I	X	H	N	F	E	V	B	C	Y	N	O	T	K	R
E	W	G	G	E	N	O	G	H	A	G	D	H	I	U	N
H	I	W	I	L	L	T	R	U	S	T	O	X	A	F	E
H	F	T	H	E	E	F	K	E	T	U	F	P	T	H	H
I	X	J	R	O	H	A	V	O	V	N	D	A	T	R	W
P	L	T	M	A	T	S	D	L	R	E	T	L	E	H	S
R	R	L	C	J	R	U	Z	M	R	L	R	V	N	K	B
T	I	R	I	N	A	H	T	S	E	Z	O	P	D	H	R
R	U	B	T	W	E	L	U	L	K	C	O	R	S	S	T

20 Isaiah 9:6-7

For UNTO US

a CHILD

is BORN.

Unto us A SON

is GIVEN, and

the GOVERNMENT

shall be UPON

his SHOULDER:

And HIS NAME

shall be CALLED

WONDERFUL,

COUNSELOR,

The MIGHTY God,

The EVERLASTING

FATHER,

The PRINCE

of PEACE.

Of the INCREASE

OF HIS government

and peace THERE

SHALL

be NO END,

upon the THRONE

of DAVID, and

upon the KINGDOM,

to ORDER it

AND TO

ESTABLISH

it with JUDGMENT

and with JUSTICE

from HENCEFORTH

FOREVER.

Z	M	W	T	C	D	A	R	E	H	T	A	F	K	F	T
C	L	P	H	H	H	E	S	H	A	L	L	R	G	A	G
V	O	I	H	X	T	T	L	F	P	Y	O	L	V	F	N
N	L	R	Y	I	A	R	O	L	E	S	N	U	O	C	I
D	O	I	D	B	S	T	O	Z	A	T	T	R	O	T	T
N	J	E	L	E	M	N	I	F	C	C	E	Q	S	N	S
K	U	I	N	C	R	E	A	S	E	V	W	U	E	G	A
Y	S	B	N	D	K	M	W	M	E	C	O	M	S	N	L
H	T	H	P	O	I	G	Q	R	E	T	N	T	P	E	R
K	I	W	O	G	P	D	K	V	N	R	D	E	K	V	E
J	C	V	H	U	Z	U	I	U	E	Y	E	C	H	I	V
A	E	T	A	S	L	J	G	V	X	V	R	N	O	G	E
N	Y	K	I	N	G	D	O	M	A	E	F	I	Q	I	G
D	T	H	E	R	E	G	E	S	R	D	U	R	N	Q	R
T	F	W	V	J	E	N	O	R	H	T	L	P	U	S	F
O	T	F	Z	Y	L	N	R	O	B	Z	N	V	B	E	Y

21 Romans 8:35,38-39

Who SHALL
separate
us FROM
the love of CHRIST?
Shall
TRIBULATION,
or DISTRESS,
or PERSECUTION,
or FAMINE,
or NAKEDNESS,
or PERIL,
or SWORD?
FOR I AM
PERSUADED

that NEITHER
DEATH
nor LIFE,
nor ANGELS,
nor
PRINCIPALITIES,
nor POWERS,
nor THINGS
PRESENT,
nor things TO
COME,
nor HEIGHT,
nor DEPTH,
NOR ANY

OTHER

CREATURE,

shall BE ABLE to

SEPARATE us from

THE LOVE OF

GOD,

WHICH is in

Christ JESUS

our LORD.

I	E	U	D	E	P	T	H	M	Y	N	A	R	O	N	V
S	O	M	F	N	N	C	C	B	Z	S	F	D	X	O	I
R	T	P	O	E	O	X	R	H	N	O	E	H	C	I	N
E	H	J	S	C	D	I	M	E	R	D	E	F	D	T	G
W	E	E	W	D	O	Q	T	I	A	I	R	I	I	A	Q
O	R	T	O	K	G	T	A	U	G	T	S	O	F	L	S
P	R	H	R	Y	F	M	S	H	C	T	U	T	L	U	M
Z	E	I	D	L	O	R	T	S	R	E	A	R	S	B	C
G	H	N	A	K	E	D	N	E	S	S	S	E	E	I	H
N	T	G	Y	P	V	T	S	X	S	M	J	R	A	R	H
B	I	S	U	H	O	S	E	P	A	R	A	T	E	T	C
S	E	I	T	I	L	A	P	I	C	N	I	R	P	P	I
E	N	A	N	G	E	L	S	E	N	I	M	A	F	B	H
R	E	S	B	X	H	S	A	P	Q	H	H	R	X	S	W
D	F	F	H	L	T	L	M	H	C	N	O	E	L	C	D
T	V	L	I	R	E	P	Z	O	S	M	M	Z	W	H	J

22 Proverbs 3:1-10

MY SON, do not
FORGET my
TEACHING, but
let your HEART
KEEP
MY COMMAND-
MENTS;
for LENGTH
of DAYS
and YEARS
of LIFE and
ABUNDANT
WELFARE will
they GIVE YOU.

BE NOT WISE in
your own EYES;
FEAR THE LORD,
and TURN AWAY
from EVIL.
IT WILL BE
HEALING to
your FLESH and
REFRESHMENT to
your BONES.
HONOR THE LORD
with YOUR
SUBSTANCE and
with the FIRST

FRUITS of all

your PRODUCE;

then your BARNS

will be FILLED

with PLENTY,

and your VATS

will be BURSTING

with WINE.

P	F	U	K	B	S	Q	H	Y	E	T	R	A	E	H	G
R	E	E	N	C	O	R	T	E	N	E	B	V	E	S	A
O	C	Y	T	U	R	N	A	W	A	Y	I	F	V	B	T
D	N	E	B	X	E	E	E	E	C	L	I	V	U	K	D
U	A	S	U	L	N	H	F	S	Y	L	I	N	U	S	A
C	T	T	P	I	G	O	G	R	G	F	D	N	L	C	W
E	S	I	W	T	O	N	E	B	E	A	D	F	G	E	E
S	B	U	H	F	I	O	I	A	N	S	I	A	L	M	B
N	U	R	F	H	S	R	R	T	P	R	H	F	Y	Y	L
R	S	F	C	I	U	T	Z	H	S	L	A	M	K	S	L
A	R	A	F	M	H	H	A	T	T	R	W	B	E	O	I
B	E	N	N	E	Z	E	J	V	E	G	U	Z	E	N	W
T	F	Z	L	D	E	L	L	I	F	F	N	B	P	W	T
R	U	O	Y	L	U	O	Y	E	V	I	G	E	T	M	I
P	R	U	J	F	O	R	G	E	T	H	S	E	L	F	G
D	S	T	N	E	M	D	N	A	M	M	O	C	Y	M	D

23 Psalms 9:6-9

O THOU ENEMY,
DESTRUCTIONS
are COME to a
PERPETUAL end,
and thou HAST
DESTROYED
CITIES: Their
MEMORIAL is
PERISHED
WITH them.
BUT the Lord
shall ENDURE
FOREVER; He
HATH
PREPARED His
THRONE for
judgment.
And He SHALL
JUDGE the
WORLD in
RIGHTEOUSNESS;
He shall MINISTER
judgment TO THE
PEOPLE in

UPRIGHTNESS. The Lord ALSO WILL be a REFUGE for the OPPRESSSED; a refuge in TIMES of TROUBLE.

A	E	R	S	L	A	U	T	E	P	R	E	P	W	X	Y
H	G	L	E	S	Y	J	I	Z	D	G	A	H	U	M	W
Q	C	M	B	T	E	M	M	O	E	L	P	O	E	P	L
G	O	L	L	U	S	N	E	F	S	H	R	N	V	L	B
C	S	P	C	F	O	I	S	O	D	E	E	O	A	V	Y
S	S	U	P	N	X	R	N	U	U	U	I	H	W	C	L
D	E	S	T	R	U	C	T	I	O	N	S	T	K	A	D
E	N	F	G	V	E	H	B	H	M	E	Y	L	I	H	E
S	T	S	A	G	R	S	T	H	A	S	T	R	H	C	R
T	H	B	E	O	K	O	S	C	P	F	O	H	S	V	A
R	G	R	N	L	L	I	W	S	O	M	P	T	G	S	P
O	I	E	D	E	H	S	I	R	E	P	G	I	M	I	E
Y	R	G	U	D	L	D	E	M	H	D	B	W	U	T	R
E	P	D	R	N	O	V	V	X	L	A	V	U	H	V	P
D	U	U	E	R	E	F	U	G	E	H	T	O	T	S	E
D	F	J	F	R	T	F	N	T	B	W	G	H	W	F	C

24 Biblical "G" Men

GAAL

GABBAI

GABBATHA

GADDI

GAHAR

GAHAZI

GAIUS

GALAL

GALEED

GALLIM

GALLIO

GAMALIEL

GAMALLI

GAMUL

GAREB

GATAM

GEBER

GEDALIAH

GEDER

GEMARIAH

GENUBATH

GERA

GERSHON

GESHEM

GESHUR

GETHER

GIDDEL

GIDEON

GILBOA

GOATH

GOG

GOLIATH

GOMER

GOSHEN

GOZAN

GUNI

H Q G P G A M A L I E L B D G F
A R B A Q E H Y G E S H U R A M
I E H V H T T A Y U O D U M T G
L M H S A A B H I G M I L L A G
A O E B N B Z A E X A G L H M G
D G B G A I G I G R O D A L G W
E A E I Z G O G N S N R D O A R
G W U L O K H G H U O M L I C G
Z E F B G N R E D E G I M Q O A
D L M O L O N N Y C A O F A R L
F U A A A E F U O T I N T Y E E
T H A L R D B B H H H H Z W B E
Y G D G A I X A K G S M X T E D
N B E R A G A T H G E R A X G P
I V O A H Q J H G I D D E L G D
S H C A A R K I L L A M A G Y Z

25 Climb Every Mountain

ABARIM
AMALEK
ARARAT
BAHSAN
BETHEL
CALVARY
CARMEL
CUDI
EBAL
EPHRAIM
GERIZIM
GILBOA
GILEAD
HACHILAH
HERMON
HOREB
LEBANON
MERON
MIZR
MOREH
MORIAH
NEBO

OF OLIVES	SION
PISGAH	TABOR
SEIR	ZION
SINAI	

H	S	B	S	G	E	L	L	X	G	L	U	W	O	C	K
P	E	Z	G	I	M	H	N	T	J	C	X	W	J	N	W
S	V	P	I	T	O	L	L	U	A	H	H	C	R	O	V
W	I	T	L	R	E	N	X	R	K	L	E	O	F	R	Z
M	L	I	E	B	S	P	M	T	R	H	B	R	B	E	O
V	O	B	A	K	B	E	H	A	B	A	R	I	M	M	B
C	F	N	D	N	L	L	T	R	T	G	T	I	Y	O	E
D	O	M	P	R	I	E	Q	I	A	S	Z	D	R	W	N
N	H	L	Z	E	X	S	H	A	L	I	H	C	A	H	Y
L	K	I	I	V	O	B	M	T	R	P	M	H	V	L	J
N	M	V	O	M	L	A	B	E	E	M	O	V	L	T	B
E	A	M	N	Q	I	J	G	X	O	B	R	H	A	V	S
U	X	S	E	L	U	W	Y	Q	V	Y	I	R	C	E	P
G	A	B	H	E	R	O	M	B	U	U	A	D	V	O	A
H	K	E	L	A	M	A	S	E	I	R	H	D	U	Q	H
G	G	G	I	L	B	O	A	P	A	U	X	Z	I	C	W

26 From Titus 2:1-8

BUT AS FOR YOU,
teach WHAT
BEFITS sound
DOCTRINE. Bid
the OLDER MEN
be TEMPERATE,
SERIOUS,
SENSIBLE,
sound in FAITH,
in LOVE...that
THE WORD OF GOD
MAY NOT be
DISCREDITED.

LIKEWISE,
URGE the
YOUNGER men to
CONTROL
THEMSELVES.
Show YOURSELF
in all RESPECTS
a MODEL of
good DEEDS; and
in your TEACHING
show INTEGRITY,
GRAVITY,
and SOUND

SPEECH that

CANNOT be

CENSURED, so

that an OPPONENT

may BE PUT

to SHAME,

having NOTHING

EVIL

TO SAY OF US.

D	D	N	E	M	R	E	D	L	O	R	T	N	O	C	Y
O	I	W	G	R	N	O	T	H	I	N	G	T	E	Z	O
G	N	S	Q	E	B	U	T	A	S	F	O	R	Y	O	U
F	T	D	C	Q	L	U	D	E	R	S	A	S	W	G	N
O	E	E	B	R	P	B	V	R	A	E	V	H	H	R	G
D	G	R	G	E	E	L	I	Y	E	D	P	A	A	A	E
R	R	U	B	R	E	D	O	S	B	S	R	M	T	V	R
O	I	S	D	S	U	F	I	S	N	Z	P	E	E	I	C
W	T	N	M	E	U	W	U	T	D	E	G	E	A	T	L
E	Y	E	D	S	E	O	R	O	E	M	S	C	C	Y	S
H	H	C	W	K	I	D	C	H	R	D	A	K	H	T	C
T	Z	O	I	R	J	T	S	S	C	N	A	Y	I	E	S
I	F	L	E	S	R	U	O	Y	N	E	E	F	N	V	B
A	B	S	C	I	L	E	D	O	M	U	E	V	G	O	F
F	S	I	N	P	E	P	T	N	W	B	G	P	I	L	T
T	N	E	N	O	P	P	O	A	D	N	U	O	S	L	L

27 Proverbs 18:10-12

THE NAME

of THE LORD

IS A STRONG

TOWER: The

RIGHTEOUS

RUNNETH

INTO it,

and are SAFE.

The RICH

MAN'S

WEALTH

IS HIS

STRONG CITY,

and as a HIGH

WALL in

HIS OWN

CONCEIT.

BEFORE

DESTRUCTION

THE HEART

OF MAN HONOR is

is HAUGHTY, HUMILITY.

AND before

P	R	U	N	G	E	D	Q	S	R	H	C	I	R	G	J
T	C	U	I	T	J	S	H	X	F	K	U	E	O	F	C
W	O	Y	N	P	H	U	R	E	G	S	M	G	N	L	S
H	N	W	T	N	M	E	F	Y	I	A	O	N	O	U	N
J	C	M	E	I	E	V	H	H	N	F	B	O	H	O	A
C	E	E	L	R	C	T	Y	E	M	E	B	R	I	N	M
O	I	I	K	T	H	G	H	A	A	E	O	T	D	X	F
G	T	S	W	G	N	T	N	T	F	R	C	S	H	S	L
Y	H	N	F	W	A	L	L	O	W	U	T	A	O	P	K
Y	J	L	I	P	M	N	R	A	R	R	X	S	T	R	N
N	O	D	R	O	L	E	H	T	E	T	J	I	H	S	W
D	G	S	F	R	A	R	S	X	D	W	S	E	V	V	O
I	R	I	G	H	T	E	O	U	S	Z	I	S	H	I	S
T	L	T	G	I	D	Z	C	A	B	L	A	H	F	E	I
J	B	I	Z	B	K	C	M	B	Y	T	H	G	U	A	H
I	H	V	Y	Q	W	W	J	H	L	O	Z	O	Q	H	H

28 Isaiah 11:6,9

The WOLF
ALSO
SHALL
DWELL with
the LAMB;
and the LEOPARD
shall LIE DOWN
with THE KID;
and the CALF
and the YOUNG
LION
and the FATLING
TOGETHER;
and a LITTLE
CHILD shall
LEAD THEM.
THEY shall
NOT HURT
nor DESTROY
IN ALL
MY HOLY
MOUNTAIN:

For the EARTH

shall BE FULL

of the KNOWLEDGE

of the LORD,

as the WATERS

COVER

THE SEA.

T	T	F	S	R	E	T	A	W	L	F	F	R	L	N	D
X	H	I	L	O	T	G	F	Y	L	R	E	V	O	C	M
K	E	Q	N	O	S	X	D	A	O	H	W	I	D	O	N
L	S	G	W	E	R	L	C	E	T	U	L	O	S	B	H
A	E	M	E	H	T	D	A	E	L	L	N	S	H	I	L
M	A	O	K	U	H	N	G	Y	L	W	I	G	N	R	F
B	F	U	P	E	O	O	H	C	L	D	O	N	A	S	Y
W	K	N	Z	A	T	T	E	O	E	O	H	N	G	Q	O
P	X	T	Y	C	R	F	L	O	W	D	H	L	K	K	B
S	K	A	H	A	D	D	Z	L	D	K	I	Y	N	A	B
Y	C	I	E	G	I	N	A	L	L	T	M	O	M	O	V
P	L	N	Z	N	K	U	T	O	T	A	T	R	Y	F	C
D	T	K	E	N	E	X	H	L	T	H	H	T	S	H	L
U	A	I	T	A	H	B	E	F	U	L	L	S	G	L	G
A	Y	H	H	M	T	V	Y	R	X	R	Z	E	V	C	B
G	Z	T	V	X	G	L	T	H	N	W	O	D	E	I	L

29 "I" Am He

IBHAR
IBZAN
ICHABOD
ICONIUM
IDALAH
IDBASH
IDDO
IGEAL
ILAI
IMLAH
IMMANUEL
IMMER
IMNAH
IMRAH
IMRI
IRAM
ISAAC
ISAIAH
ISHBAK
ISHBI-BENOB
ISHMAEL
ISHOD
ISH-PAN
ISH-TOB
ISHUAH
ISPAH
ISSACHAR
ISUI

ITHAI

ITHAMAR

ITHIEL

ITHRAN

ITTAI

ITUREA

IVAH

IZHAR

IZRI

I F D Z H A L A D I M L A H G D
A F O T W E U I M R A H W B N J
H Y B V A C I M H I H A I A S I
T P A M L B A M K S D M S E S Z
I S H T O B C A M A A D H R U V
V S C X M I Q N S E B B O U Z F
I R I Y V Q X U C I R H D T H R
V T J A B O N E B I B H S I A S
I Z H A R A X L I R M I S I P E
B T J I P R A E X I L S V S S O
H B H H E E B D T A A M I H I A
A D S A G L I H I C O N I U M N
R I M I M A R M H B L B P A S V
B B A H T A L A N P Z L H H M I
R U R T N I R Z I A R G Q D G A
D O I M V G W X N V H X I L P N

30 III John 1:9-13

I HAVE

WRITTEN

SOMETHING to

THE CHURCH;

but DIOTREPHES,

who LIKES to put

himself FIRST, does

not ACKNOWLEDGE

my AUTHORITY.

So IF I COME,

I WILL bring

up WHAT he

IS DOING:

PRATING

AGAINST me

with EVIL WORDS.

And not CONTENT

WITH THAT,

he REFUSES

HIMSELF to

welcome the

BRETHREN,

and also STOPS

THOSE who want

to WELCOME them,

and PUTS them

OUT OF the church.

I HOPE to

SEE YOU soon,

and WE WILL

TALK together you.

FACE-TO-FACE. GREET the friends,

PEACE be to you. EVERY ONE OF

Our FRIENDS greet THEM.

W	W	T	F	P	W	E	L	C	O	M	E	T	J	F	L
U	H	V	E	R	Y	T	L	L	I	W	E	W	J	T	X
O	S	A	E	M	I	H	Z	K	I	A	R	I	S	T	V
Y	C	E	T	P	O	E	V	I	L	W	O	R	D	S	I
E	V	A	H	I	O	C	N	A	G	A	I	N	S	T	R
E	S	T	U	P	A	H	I	D	J	F	T	A	N	T	G
S	K	T	O	G	E	U	I	F	S	W	C	E	H	N	N
P	I	A	R	O	C	R	T	S	I	K	T	O	I	I	S
O	S	H	U	R	A	C	T	H	N	N	S	T	M	F	B
T	D	T	N	L	F	H	T	O	O	E	A	P	S	R	N
S	O	H	G	T	O	Q	W	C	I	R	N	L	E	I	E
F	I	T	X	R	T	L	P	U	P	D	I	T	L	D	T
G	N	I	H	T	E	M	O	S	R	K	H	T	F	V	T
Q	G	W	H	D	C	E	J	K	E	R	K	A	Y	N	I
K	H	Y	G	C	A	T	T	S	E	S	U	F	E	R	R
B	M	E	H	T	F	O	E	N	O	Y	R	E	V	E	W

31 Psalms 111:2-4,8

The WORKS

OF THE Lord

are GREAT;

SOUGHT

OUT OF

all THEM

THAT have

PLEASURE

THEREIN.

HIS work

is HONORABLE

and GLORIOUS,

AND His

RIGHTEOUSNESS

ENDURETH forever.

He HATH

MADE His

WONDERFUL

works TO BE

REMEMBERED;

the LORD

is GRACIOUS

and FULL

of COMPASSION.

THEY stand and ARE

FAST DONE in

FOREVER and TRUTH and

ever, UPRIGHTNESS.

B	R	F	K	X	Y	Z	T	G	G	C	K	S	X	N	D
Z	Q	D	J	W	M	E	H	T	J	R	S	Y	O	I	W
U	V	C	N	E	L	I	K	O	W	E	E	Z	B	T	O
C	O	M	P	A	S	S	I	O	N	C	L	A	A	H	Q
S	V	Q	U	S	O	V	N	S	H	O	A	O	T	E	N
R	S	D	N	U	K	D	U	T	R	E	R	E	K	Y	M
E	L	E	G	U	E	O	U	D	F	R	R	A	R	E	Q
M	T	H	N	R	E	R	O	X	E	U	M	Y	B	P	H
E	T	A	F	T	T	O	B	E	D	S	F	N	Y	L	R
M	G	U	H	Q	H	H	P	N	A	A	S	Z	N	S	E
B	L	G	D	T	F	G	E	A	M	E	S	J	L	K	V
E	I	M	F	S	U	O	I	R	O	L	G	G	G	R	E
R	P	Z	H	A	N	O	T	R	E	P	D	K	O	O	R
E	H	T	F	O	S	S	E	U	P	I	O	H	A	W	O
D	A	I	W	Y	A	T	R	A	O	U	N	L	L	U	F
H	S	U	O	I	C	A	R	G	L	E	E	O	I	O	X

32 Proverbs 3:13-16

HAPPY

is THE MAN

that FINDETH

WISDOM, and

the man THAT

GETTETH

UNDERSTANDING;

for

the MERCHANDISE

of it is BETTER

THAN the

merchandise of

SILVER,

and the GAIN

THEREOF

than FINE

GOLD.

SHE IS

MORE

PRECIOUS than

RUBIES, and

all the THINGS

THOU

CANST

DESIRE

ARE NOT

to be COMPARED

UNTO her.

LENGTH

of DAYS is in

her RIGHT hand;

in her LEFT hand,

RICHES

and HONOR.

R	L	M	N	U	A	M	S	Q	H	R	H	G	A	I	N
I	L	C	E	B	N	R	O	K	O	T	N	Q	T	P	T
O	H	S	Q	R	S	T	E	N	G	I	E	M	H	V	H
N	S	Y	A	D	C	I	O	N	D	E	T	D	A	V	Y
U	J	P	Y	E	S	H	E	N	O	H	U	C	N	W	C
H	R	P	S	O	B	L	A	H	I	T	I	O	S	I	O
Y	C	A	N	S	T	T	H	N	S	Y	Q	M	O	S	F
R	Y	H	A	T	S	F	G	E	D	L	K	P	A	D	S
E	I	R	M	R	I	S	G	V	D	I	D	A	Y	O	H
T	B	G	E	P	R	E	C	I	O	U	S	R	R	M	E
H	T	D	H	S	T	R	E	T	T	E	B	E	S	N	R
O	N	E	T	T	E	F	M	K	T	X	O	D	I	U	I
U	F	O	E	R	E	H	T	A	H	T	L	F	B	K	S
P	B	T	R	F	A	W	C	A	H	O	F	I	K	G	E
Q	H	N	O	L	B	O	V	I	G	X	E	E	E	F	D
F	U	M	M	S	I	L	V	E	R	S	O	N	L	B	G

33 Birds of the Bible

BITTERN
CHICKEN
CORMORANT
CRANE
CUCKOO
DOVE
EAGLE
FALCON
HEN
HERON
HOOPOE
KITE
LAPWING
NIGHTHAWK
OSPREY
OSTRICH
OWL
PARTRIDGE
PEACOCK
PELICAN
PIGEON
QUAIL

RAVEN
SWALLOW
ROOSTER
SWAN
SPARROW
VULTURE
STORK

C N K N O D G M O S H C N K H B
N Z P W O I N X D C Y E A T A H
D S B L A E J H Q U K K N S R Y
H F W Q L H G R H C I R T S O E
C E N A R C T I I K E O X D A R
W M L X L B X H P O T T N G U P
O M T E R L C V G O I S L P E S
R M V C E F O M U I K E B A Z O
R O O S T E R W F L N I C H A L
A D V P V E M N O O T O Y O G Y
P N O S L W O Q C T C U I G N C
S L E V X R R L E K O D R S I S
L K U V E R A R H O O P O E W C
W E G H A F N A C I L E P A P I
N E G D I R T R A P I U N D A H
Z H N T X T N S I W Q U A I L E

34 Bible Men: Z

ZAAVAN

ZABAD

ZABBAI

ZABUD

ZACCAI

ZACCHAEUS

ZACCUR

ZACHARIAH

ZACHER

ZADOK

ZALMON

ZARRU

ZATTHU

ZEBADIAH

ZEBAH

ZEBEDEE

ZEBIAM

ZEBULUN

ZECHARIAH

ZEDEKIAH

ZEEB

ZELEK

ZEMIRA

ZEPHANIAH

ZEPHI

ZEPHO

ZERAH

ZIBEON

ZIBIA

ZIMMAH

ZIMRI

ZIPHAH

ZIPPOR

ZITRI

ZIZA

ZOAN

ZOHAR

ZOHETH

ZOPHAR

ZUPH

ZURIEL

E	Z	E	R	A	H	R	N	A	I	B	I	Z	Z	L	C
Z	I	E	D	O	O	P	U	P	H	L	Z	B	Q	Z	H
U	T	X	M	P	Z	P	L	H	T	E	H	O	Z	Y	W
P	R	Y	P	I	D	P	U	I	E	K	T	Z	A	J	D
H	I	I	Z	Y	R	M	B	B	H	Z	O	W	C	N	U
A	Z	A	C	C	H	A	E	U	S	P	U	D	C	V	H
H	E	N	A	V	A	A	Z	Z	H	O	E	R	A	A	N
P	C	D	B	L	S	E	I	A	E	K	Z	Z	I	Z	R
I	H	H	J	M	D	B	R	N	B	B	A	R	I	E	L
Z	A	M	B	E	E	V	R	E	A	B	A	K	R	Z	L
A	R	A	K	O	O	U	E	U	U	H	A	D	M	A	N
T	I	I	N	H	R	D	M	D	C	R	P	I	I	B	U
T	A	B	P	R	E	H	C	A	Z	C	A	E	Z	A	Q
H	H	E	A	B	C	P	Z	I	M	M	A	H	Z	D	H
U	Z	Z	E	L	E	K	K	H	A	B	E	Z	O	C	Z
G	K	Z	A	L	M	O	N	G	K	Q	S	I	M	Z	U

35 From Luke 1:11-17

And THERE
APPEARED to
him an ANGEL
OF THE LORD
STANDING on
the RIGHT SIDE
of the ALTAR
of INCENSE.
And ZECHARIAH
was TROUBLED
when he SAW HIM,
and FEAR fell
UPON him...the
angel SAID to
him, "DO NOT
be AFRAID...Your
WIFE will bear you
A SON...he will
be FILLED with
the HOLY SPIRIT,
even from BIRTH.
AND HE will turn
MANY of the sons
of ISRAEL to
the Lord THEIR
GOD,
and he WILL GO
BEFORE Him in the
spirit and POWER
of ELIJAH, to
turn the HEARTS
of the FATHERS

to the CHILDREN,

and the

DISOBEDIENT

to the WISDOM

of THE JUST,

to make READY

FOR THE LORD

a PEOPLE

PREPARED.”

P	C	H	M	T	S	U	J	E	H	T	O	B	A	X	H
X	T	D	A	I	S	R	A	E	L	F	I	S	N	X	F
D	H	D	N	J	T	Q	E	Y	T	R	O	D	G	B	C
O	E	E	Y	G	I	N	D	H	T	N	E	A	E	Z	Y
N	I	L	D	R	O	L	E	H	T	R	O	F	L	N	D
O	R	L	B	P	K	L	E	I	A	A	O	R	T	E	A
T	G	I	U	U	O	I	G	P	D	R	F	A	I	S	E
J	O	F	O	R	O	N	E	C	E	E	F	I	R	N	R
A	D	X	D	G	I	R	S	K	F	P	B	D	I	E	C
G	A	F	L	D	P	G	T	T	W	E	W	O	P	C	H
D	S	L	N	Z	E	C	H	A	R	I	A	H	S	N	I
H	I	A	T	L	N	R	T	T	F	A	S	R	Y	I	L
W	T	A	P	A	N	D	H	E	S	I	E	D	L	L	D
S	B	O	S	E	R	E	H	T	M	I	R	H	O	A	R
W	E	T	Y	A	P	P	E	A	R	E	D	E	H	M	E
P	O	W	E	R	U	M	I	H	W	A	S	E	V	M	N

36 Psalms 121:1-3,8

I WILL
LIFT UP
MINE EYES
UNTO the
HILLS,
from WHENCE
COMETH my help,
MY HELP cometh
from the LORD,
WHICH
MADE
HEAVEN and
EARTH. He
will not SUFFER
THY FOOT
TO BE
MOVED;
he THAT
KEEPETH
THEE will
not SLUMBER.
The Lord SHALL

PRESERVE thee

from all EVIL;

GOING OUT

and COMING IN

from THIS TIME

FORTH,

and EVEN

for EVERMORE.

T P K M G G T H G U N D S Z S K
T M L C K I N E F C T O Z Y T L
T O B E W A E O O T T P L B U Y
G O O I H H Y M R J B H L Y O U
D D L F T Y E B T L S N A S G I
P L U P Y T M N H W I E H T N E
C L H U H H K R C X K V S Q I N
C O O T N U T H T E P E E K O A
T R M F K T H H Q A Y R A I G R
X W H I C H I E V E R M O R E F
C S E L N L S H E A V E N B T E
F U D B L G T N D E V O M T F H
Q F A S T D I W M L U U D O M W
E F M E U M M N O X L N W P U A
G E V R E S E R P S B V X Q A X
A R P N M D D W F G Q I D R J N

37 Revelation 21:2,18-20

AND I
JOHN saw
the HOLY CITY,
NEW
JERUSALEM,...
and the
FOUNDATIONS
of THE WALL
of the city WERE
GARNISHED
with all MANNER
of PRECIOUS
STONES: the
FIRST foundation
was JASPER;
the SECOND,
SAPPHIRE;
the THIRD,
CHALCEDONY;
the FOURTH,
EMERALD;
the FIFTH,
SARDONYX;
the SIXTH,
SARDIUS;
the SEVENTH,
CHRYSOLYTE;
the EIGHTH,

BERYL;

the NINTH,

TOPAZ;

the TENTH,

CHRYSOPRASUS;

the ELEVENTH,

JACINTH;

the TWELFTH,

AMETHYST.

S	U	S	A	R	P	O	S	Y	R	H	C	B	Q	A	T
E	T	N	M	O	S	X	Y	N	O	D	R	A	S	O	S
I	R	O	F	I	F	T	H	L	C	P	G	U	P	S	R
G	K	I	X	E	C	O	Y	T	H	E	W	A	L	L	I
H	T	T	H	N	J	C	P	E	A	T	Z	C	T	H	F
T	H	A	E	P	I	D	N	A	L	M	N	H	S	D	X
H	G	D	M	T	P	N	D	S	C	E	I	I	E	P	P
S	S	N	Y	S	Y	A	T	B	E	R	V	H	C	R	M
C	U	U	E	Y	D	L	S	H	D	C	S	E	E	A	A
B	I	O	G	H	L	J	O	B	O	I	O	C	N	H	J
E	D	F	N	T	A	J	J	S	N	D	I	N	T	T	N
R	R	T	Z	E	R	O	A	R	Y	O	E	N	D	A	H
Y	A	E	N	M	E	L	A	S	U	R	E	J	W	E	N
L	S	N	W	A	M	G	F	S	P	V	H	T	M	O	Z
Q	H	T	F	L	E	W	T	G	E	E	F	C	M	G	I
I	L	H	S	T	O	N	E	S	H	T	R	U	O	F	P

38 The Sea of Galilee

AGRICULTURE

AMMATHUS

AZURE blue

"BAHR Tubariya"

BETHSAIDA

BOARS

CAPEMAUM

"Sea of

CHINNERETH"

CITIES

EVER-CHANGING

FERRYING

FISH

FRESH water

GADARA

GALILEE

GENNESARET

GERGESA

"GINNOSAR"

HARBORS

HEART-SHAPED

HIGHWAY

HILLS

HOT springs

ISRAEL

JORDAN River

KURSI

LAKE

13 miles LONG

LOW-LYING

MIRACLES

SHORE

Violent STORMS

TABGHA

TIBERIAS

TRADE

WATER supply

8 miles WIDE

WINDS

R A R A D A G Y T I B E R I A S
I E X M G E R H A B V S C K S S
T O T M E R O H S E R F H P E M
E G A A O U I L R A D T K L G R
R L B T W Z E C O A E A C M R O
A O G H N A H B U R S A R Z E T
S W H U R A O I E L R O U T G S
E L A S N L D N G I T W N W O G
N Y I G H H N I M H C U I N U H
N I I U Z I A U A I W N R N I X
E N J L H E A R T S H A P E D G
G G O C H M E I B B H C Y K Y S
A N R S E K E D F O P T U L X A
G B D P A S G N I Y R R E F C W
T G A L I L E E S W S S N B B D
P C N D X X S X H I L L S Q Y G

39 From Matthew 2:1-6

NOW when

JESUS

WAS BORN in

BETHLEHEM of

JUDEA in the

DAYS of

HEROD the king,

BEHOLD: There

came WISE MEN

from THE EAST

to JERUSALEM,

SAYING,

"WHERE is he

that IS BORN

KING of the Jews?"

...Herod

DEMANDED of

them where CHRIST

SHOULD be born.

And

they SAID

UNTO HIM,

"...IT IS WRITTEN

by the PROPHET,

AND THOU

Bethlehem,

...ART NOT

the LEAST

AMONG the
PRINCES of Judea:
FOR OUT of thee
SHALL COME
a GOVERNOR,
THAT SHALL
RULE my
PEOPLE
ISRAEL."

W	T	W	F	X	W	M	A	C	J	W	S	P	L	G	K
U	L	U	U	O	Q	I	S	B	O	R	N	T	E	D	V
S	E	C	N	I	R	P	E	H	E	J	H	L	A	B	T
U	G	H	J	T	R	O	M	L	O	J	U	Y	S	U	M
D	O	R	E	H	O	V	U	T	U	U	S	D	T	D	U
D	V	I	S	J	N	H	H	T	E	R	L	H	E	O	J
E	E	S	U	N	E	A	I	N	C	O	E	D	H	A	G
E	R	T	S	U	T	R	U	M	H	E	N	T	P	N	I
M	N	E	G	S	T	M	U	E	A	A	D	E	O	S	H
O	O	R	H	A	I	N	B	S	M	N	W	M	R	T	T
C	R	A	O	W	R	E	T	E	A	T	A	A	P	N	O
L	L	C	M	B	W	Z	D	P	R	L	E	N	X	I	N
L	T	A	K	L	S	B	E	T	H	L	E	H	E	M	T
A	P	H	I	R	I	A	B	W	I	S	E	M	E	N	R
H	L	Y	N	Y	T	L	W	E	L	P	O	E	P	R	A
S	L	M	G	N	I	Y	A	S	A	I	D	G	K	X	H

40 Proverbs 21:1-4

The KING'S
HEART IS IN
the HAND
of THE LORD,
as the RIVERS
of WATER:
He TURNETH it
WHITHERSOEVER
He WILL.
EVERY
WAY of a
MAN is

RIGHT in
HIS OWN
EYES,
BUT the
Lord PONDERETH
the HEARTS.
To do JUSTICE
and JUDGMENT
is MORE
ACCEPTABLE
TO THE
Lord THAN

SACRIFICE.

A HIGH LOOK,

and a PROUD

heart, AND THE

PLOWING of

the WICKED,

IS SIN.

H K Y C K O O L H G I H A M C U
T F J R E V E O S R E H T I H W
E M M U N V O J N A L Z T E F T
R Y U E S W F O R W B Y A W L C
E F D V C T O T D W A R O D I F
D W D E E I I S C D T T T U V A
N D J R R S F C I S P N E O H W
O R S Y I O E I E H E Z T R Y F
P O Q N A H M P R M C B F P S F
Y L K X T N K R G C C Q G R K L
S E X O S I D D I H A N D I P L
S H T E N R U T L I I S S V H I
K T Y G P J N U H W I C K E D W
R E S L C R A A O E B B H R U J
D G Q S Q H M L H Y U N I S S I
P N A Z F Z P D R T H G I R K Y

41 Biblical Women: A-J

ABIGAIL
ABISHAG
ACHSAH
AGATHA
ANASTASIA
APPHIA
ASENATH
ATARAH
ATHALIAH
AZUBAH
BASHEMATH
BATHSHEBA
BERNICE
BILHAH
CHRISTIANA

DAMARIS
DEBORAH
DELILAH
DIANA
DINAH
DORCAS
DRUSILLA
ELISABETH
EMMA
ESTER
EUNICE
EVE
FAITH
FELICITY
GRACE

HADASSAH
HULDAH
HAMUTAL
ISHTAR
HANNAH
JEZEBEL
HEPHZIBAH
JOANNA
HOPE
JUDITH

H	T	A	T	H	A	L	I	A	H	A	R	A	T	A	F
H	T	Y	E	C	I	N	R	E	B	H	A	D	L	U	H
A	B	E	H	S	H	T	A	B	D	A	M	A	R	I	S
L	M	X	B	K	C	I	Z	S	A	S	Y	B	D	H	X
I	H	M	H	A	H	H	H	N	T	S	B	E	E	A	P
L	G	O	E	P	S	T	A	N	N	A	O	J	B	H	V
E	A	U	P	P	Z	I	Z	M	S	D	S	I	O	L	R
D	Y	A	H	E	T	A	L	H	M	A	S	I	R	I	Q
E	N	T	Z	S	Z	F	E	E	L	H	C	D	A	B	Z
U	P	G	I	U	O	M	A	L	A	A	I	R	H	F	J
N	Q	R	B	C	A	B	I	G	E	N	T	S	O	H	U
I	H	A	A	T	I	S	D	S	A	B	E	U	A	D	D
C	H	C	H	G	U	L	Z	H	H	T	E	S	M	M	I
E	F	E	A	R	A	S	E	N	A	T	H	Z	T	A	T
X	V	I	D	I	A	N	A	F	E	C	A	A	E	E	H
E	L	K	F	W	H	A	N	N	A	H	J	R	V	J	R

42 Biblical Women: K-Z

KEZIA
LEAH
LOIS
LUCIA
LYDIA
MARGARET
MARTHA
MARY
MIRIAM
NAAMAH
NAOMI
NEHUSHTA
ORPAH
PERSIS
PRISCILLA
PUAH
RACHEL
RAHAB
REBECCA
REBEKAH
REGINA
RHODA
RIZPAH
RUTH
SALOME
SAPPHIRA
SARAH
SHEERAH
SHIMEATH
TAMAR
TIRZAH
VASHTI

VERONICA

ZEBULAH

ZERESH

ZERUAH

ZIBIAH

ZILLAH

ZILPAH

ZIPPORAH

ZOE

A	I	D	Y	L	N	Y	I	U	M	M	I	M	O	A	N
Y	Z	J	Z	Q	R	Z	E	R	E	S	H	B	W	E	Z
F	I	O	E	M	S	H	I	M	E	A	T	H	H	L	T
Z	E	R	R	D	A	Z	O	T	Q	P	B	U	K	B	Z
P	Z	A	U	M	P	R	B	D	H	P	S	E	A	E	V
N	U	M	A	A	O	L	T	X	A	H	Z	H	B	N	A
D	H	A	H	V	E	M	H	H	T	I	A	U	T	L	S
M	N	T	H	H	E	B	P	A	A	R	L	I	L	D	H
L	P	H	C	T	E	R	A	G	R	A	M	I	C	A	T
E	E	A	A	E	M	V	O	N	H	E	C	K	P	U	I
A	R	Z	C	R	M	A	L	N	I	S	E	R	K	Z	L
H	S	R	C	M	O	O	I	L	I	G	O	H	P	I	R
T	I	I	E	T	I	P	L	R	P	C	E	D	S	L	F
U	S	T	B	S	V	Q	P	A	I	M	A	R	Y	L	S
R	E	B	E	K	A	H	R	I	S	M	H	A	R	A	S
B	F	B	R	H	A	P	L	I	Z	I	B	I	A	H	J

43 Psalms 63:3-6

BECAUSE

THY

LOVING

KINDNESS

is BETTER

than LIFE,

MY LIPS

SHALL

PRAISE thee.

THUS WILL I

BLESS thee

WHILE I LIVE:

I WILL LIFT UP

MY HANDS in

thy NAME.

MY SOUL shall

be SATISFIED

as WITH

MARROW and

FATNESS, and

MY MOUTH shall

praise THEE

with JOYFUL	my BED and
lips, WHEN	MEDITATE on
I REMEMBER	thee IN THE
thee UPON	NIGHT.

I	D	L	L	A	H	S	I	E	Y	R	P	T	H	Q	N
V	E	P	U	T	F	I	L	L	L	I	W	I	D	E	O
N	Q	J	F	O	T	G	G	J	P	M	H	K	J	G	P
R	S	G	Y	M	S	L	X	L	O	V	I	N	G	J	U
B	N	K	O	M	E	Y	B	W	G	V	L	R	I	E	E
E	E	B	J	Y	B	M	M	Q	L	S	E	N	F	M	T
D	H	C	D	M	P	Z	A	Y	D	B	I	I	Y	A	A
F	T	X	A	O	Q	H	D	N	M	G	L	L	J	R	T
Z	N	X	M	U	I	E	A	E	H	K	I	Q	R	R	I
P	I	Y	H	T	S	H	M	T	I	P	V	V	G	O	D
B	R	O	M	H	Y	E	Z	N	S	F	E	N	Y	W	E
X	L	A	N	M	R	C	D	D	J	C	S	L	U	U	M
Z	E	E	I	I	R	N	T	H	U	S	W	I	L	L	I
Q	H	E	S	S	E	N	T	A	F	B	E	T	T	E	R
W	I	T	H	S	E	W	I	B	I	O	C	L	N	A	A
S	W	N	S	T	M	D	E	A	W	R	A	L	A	H	S

44 The Death of Moses

GOD promised
ABRAHAM
and ISAAC
and JACOB
that THEIR
ISSUE would
LIVE in the
PROMISED LAND,
but ONLY
MOSES
was to SEE IT.
At THE AGE of
ONE HUNDRED
and TWENTY
YEARS, he went
from the PLAINS
of MOAB
to the MOUNTAIN
of NEBO.
God SHOWED
him GILEAD
and JERICHO,
the CITY
of PALM

TREES;

THERE

Moses DIED.

The CHILDREN

of ISRAEL

MOURNED

for THIRTY

DAYS.

Z	I	L	S	E	S	O	M	H	I	X	X	T	W	T	Z
T	M	S	N	R	Y	E	R	E	H	T	M	F	M	C	U
A	O	E	A	N	T	N	E	N	A	B	R	A	H	A	M
N	P	E	O	A	I	T	E	I	Y	T	R	I	H	T	X
I	Y	R	V	N	C	D	P	G	T	B	L	R	U	Y	O
S	Q	T	L	I	V	E	A	X	A	D	G	I	C	T	N
E	K	Q	Z	W	B	N	L	O	R	E	Q	E	O	N	J
W	D	K	L	O	E	R	M	E	X	R	H	H	P	E	B
I	D	E	C	L	I	U	N	M	S	D	H	T	R	W	S
P	L	A	I	N	S	O	S	H	O	N	V	I	E	T	Z
H	J	R	F	D	R	M	O	S	D	U	C	F	O	O	W
S	A	G	W	L	A	W	Y	A	I	H	N	B	Q	D	F
D	V	N	O	Q	E	E	Y	J	O	E	E	T	Q	T	G
U	Z	E	Z	D	L	S	L	A	O	N	L	Y	A	G	O
B	D	N	A	L	D	E	S	I	M	O	R	P	X	I	G
T	B	M	G	Z	Z	C	K	V	G	Z	Z	K	E	A	N

45 Ephesians 1:3-4

BLESSED be

the GOD

and FATHER of

OUR LORD

JESUS CHRIST,

who

HATH blessed

us WITH

all SPIRITUAL

BLESSINGS in

HEAVENLY

PLACES in

Christ: ACCORDING

AS HE hath

CHOSEN us in Him

BEFORE THE

FOUNDATION

of THE WORLD,

THAT we without BLAME

SHOULD be BEFORE HIM

HOLY and IN LOVE.

R	B	K	L	S	B	H	T	U	G	L	N	Y	D	O	M
T	N	M	B	P	G	L	L	G	C	H	O	S	E	N	W
V	A	N	O	I	T	A	D	N	U	O	F	H	S	C	E
L	Y	N	S	R	R	S	W	I	Z	D	B	O	S	S	Q
E	V	I	W	I	T	H	I	D	L	E	W	U	E	T	N
Z	Q	J	F	T	N	L	E	R	F	Z	G	L	L	Z	Y
W	A	D	Q	U	Z	V	O	O	H	A	C	D	B	L	L
C	S	O	E	A	O	W	R	C	U	C	T	Y	O	A	K
E	H	G	M	L	E	E	I	C	H	R	S	H	D	N	X
N	E	D	N	H	H	S	M	A	C	A	L	U	E	Y	M
K	Z	I	T	I	E	G	W	A	N	A	T	O	S	R	K
U	U	K	M	C	S	Z	K	F	L	M	U	H	R	E	C
I	C	T	A	H	T	S	M	P	I	B	V	L	Q	D	J
R	Y	L	N	E	V	A	E	H	P	U	P	S	T	U	Q
R	P	Y	J	W	T	T	V	L	V	T	F	G	K	R	S
E	H	T	E	R	O	F	E	B	B	M	U	O	D	X	P

46 Jeremiah 26:13-14

THEREFORE

NOW AMEND

YOUR WAYS and

YOUR DOINGS,

and OBEY

the VOICE of

the LORD

your GOD;

AND THE

Lord WILL

REPENT

HIM of

the EVIL

THAT he

HATH

PRONOUNCED

AGAINST you.

AS FOR

me, BEHOLD,

I am IN YOUR

HAND: GOOD and

do WITH me MEET

as SEEMETH UNTO you.

G	O	O	D	N	U	R	I	A	P	B	T	H	C	O	D
D	B	N	E	R	O	F	E	R	E	H	T	H	A	T	Q
K	A	E	L	F	F	N	O	H	O	L	Z	W	L	T	H
H	F	Y	S	Y	R	N	O	O	T	N	U	A	I	F	H
J	Q	A	O	O	O	L	V	D	T	D	D	M	V	T	F
G	C	R	S	U	D	V	N	I	G	F	N	T	E	Q	H
I	Q	Z	N	R	R	E	V	L	R	E	S	A	M	S	U
O	R	C	T	W	M	D	B	V	U	P	E	N	B	I	B
V	E	Y	E	A	S	A	O	O	O	E	L	R	G	I	H
D	L	H	W	Y	M	Z	B	I	Y	E	A	D	B	L	H
N	R	O	T	S	S	L	E	C	N	W	O	N	L	N	E
E	N	D	R	E	K	T	Y	E	I	G	S	H	V	L	Q
S	G	I	P	D	M	E	B	L	W	U	S	I	Q	Z	C
X	U	B	U	J	C	E	L	K	Z	G	J	D	M	V	J
E	P	H	D	T	P	M	E	F	J	Z	G	M	F	U	U
B	E	C	A	G	A	I	N	S	T	N	E	P	E	R	Q

47 Proverbs 6:16-19

THESE

SIX THINGS

DOTH

the LORD

HATE

yea, SEVEN

ARE AN

ABOMINATION

UNTO Him:

a PROUD

LOOK;

a LYING

TONGUE;

and HANDS

THAT SHED

INNOCENT

BLOOD;

a HEART

that DEVISETH

WICKED

IMAGINATIONS;

FEET

that be SWIFT

in RUNNING

to MISCHIEF;

a FALSE

WITNESS that

SPEAKETH lies, and

he that SOWETH

DISCORD

AMONG

BRETHREN.

S	S	Q	E	T	A	H	D	S	P	R	O	U	D	D	A
C	H	N	E	M	L	E	O	G	T	U	T	H	E	S	E
S	D	T	O	K	V	R	D	N	C	N	X	K	S	G	A
T	E	N	E	I	P	O	E	I	C	N	C	V	P	H	H
R	G	V	S	W	T	C	P	H	W	I	T	N	E	S	S
A	T	E	E	H	O	A	L	T	W	N	G	G	A	V	B
E	T	N	A	N	N	S	N	X	Y	G	C	N	K	X	Q
H	X	S	N	B	W	D	M	I	S	C	H	I	E	F	M
D	V	I	K	K	R	T	E	S	G	W	C	Y	T	D	U
E	U	G	N	O	T	E	H	O	Q	A	D	L	H	F	J
H	E	E	C	N	O	I	T	A	N	I	M	O	B	A	N
A	A	S	I	B	Q	V	O	H	T	M	I	I	I	U	N
N	I	R	L	K	O	F	M	E	R	S	C	K	L	N	C
D	X	O	E	A	N	N	E	G	L	E	H	I	O	T	C
S	O	V	B	A	F	F	T	O	Q	F	N	E	R	O	T
D	F	X	A	T	N	F	F	T	F	I	W	S	D	P	L

48	Luke 2:11-14

For UNTO YOU
is BORN
THIS DAY in
the CITY
of DAVID
a SAVIOR,
WHICH is
CHRIST
the LORD.
AND this
SHALL BE a
SIGN unto you;
ye SHALL FIND
the BABE
WRAPPED in
SWADDLING
CLOTHES,
LYING in
a MANGER.
And SUDDENLY
THERE was with
THE ANGEL a
MULTITUDE of
the HEAVENLY
HOST praising
GOD, and

SAYING:

"GLORY to God

IN THE

HIGHEST, and

on EARTH

PEACE and

GOOD WILL

TOWARD men."

W	M	R	I	G	T	L	L	I	W	D	O	O	G	H	K
Y	U	P	O	N	T	S	O	H	N	N	J	Y	E	Z	J
A	L	D	C	I	T	Y	E	I	C	A	N	A	C	P	T
K	T	N	W	L	B	Z	F	H	J	H	V	D	A	F	N
K	I	H	E	D	O	L	S	U	G	E	R	S	E	T	O
Q	T	I	E	D	L	R	I	Z	N	I	E	I	P	N	M
K	U	F	O	A	D	A	D	L	H	T	H	H	S	X	R
M	D	O	H	W	N	U	Y	V	Q	C	O	T	X	T	Y
Q	E	S	X	S	S	G	S	V	M	B	I	Y	T	R	U
T	L	W	R	A	P	P	E	D	C	A	R	H	O	K	L
D	Y	N	Y	E	S	H	A	L	L	B	E	L	W	U	E
X	I	I	P	I	T	D	O	X	J	E	G	P	A	Z	S
H	N	Z	G	N	I	T	H	E	R	E	N	N	R	D	F
G	G	N	I	V	H	T	P	B	I	B	A	R	D	A	B
H	T	R	A	E	R	O	I	V	A	S	M	P	O	N	E
D	B	D	S	M	K	G	L	K	R	Q	V	O	K	B	D

49 “B”iblical Men

BAAL

BAANAH

BAASHA

BALAAM

BALADAN

BALAK

BANI

BARABBAS

BARACHEL

BARACHIAS

BARAK

BARIAH

BARKAS

BARNABAS

BARTHOLOMEW

BARUSH

BEALIAH

BECHER

BEDAN

BEERI

BELTESHAZZAR

BENAIAH

BEN-AMMI

BEN-HADAD

BENJAMIN

BERIAH

BEZELEEL

BILDAD

BILGAH

BILSHAN

BIRSHA

BLASTUS

BOANERGES

BOAZ

BUZI

A	M	G	O	B	H	A	I	R	E	B	B	C	S	M	Y
A	B	E	E	R	I	B	D	N	I	K	Z	A	O	B	C
H	H	A	G	L	I	B	A	L	P	A	B	T	N	O	H
S	B	G	R	D	H	D	S	R	B	B	L	G	B	I	A
R	L	J	Y	K	A	H	B	H	A	I	L	A	E	B	I
I	A	J	T	L	A	E	O	R	R	C	L	C	E	H	A
B	S	Z	A	N	N	S	A	G	I	A	H	D	F	A	N
A	T	B	Z	J	B	B	N	I	A	M	A	E	K	N	E
L	U	D	A	A	M	A	E	M	H	N	M	S	L	A	B
A	S	M	A	I	H	U	R	B	E	N	H	A	D	A	D
K	I	Q	E	D	K	S	G	A	H	I	H	B	N	B	C
N	B	E	Z	E	L	E	E	L	C	S	W	A	E	E	K
R	E	H	C	E	B	I	S	T	A	H	U	N	S	A	B
F	A	Q	A	Q	D	K	B	A	L	A	I	R	R	I	U
V	K	M	X	V	D	Y	B	N	I	E	B	A	A	B	Z
G	W	E	M	O	L	O	H	T	R	A	B	B	S	B	I

50 From Revelation 5:9-14

And THEY SANG
a NEW SONG,
saying, "WORTHY
ART THOU to
take the SCROLL
and TO OPEN its
SEALS...the lamb
who was SLAIN,
to RECEIVE
POWER
and WEALTH
and WISDOM
and MIGHT
and HONOR
and GLORY
and BLESSING!"
And I HEARD
EVERY creature
in HEAVEN and
on EARTH and
UNDER the earth
and in THE SEA,
and all THEREIN,
SAYING, "To him
who SITS UPON the
THRONE and to
THE LAMB be
blessing

...FOREVER AND EVER!"

And THE FOUR LIVING CREATURES said,

"AMEN!"

And THE ELDERS FELL DOWN and WORSHIPED.

G	L	O	R	Y	H	T	R	O	W	D	P	O	W	E	R
D	J	N	E	W	S	O	N	G	H	K	R	M	Y	N	B
F	I	D	D	V	W	I	M	F	W	I	N	A	R	O	L
E	O	K	N	D	I	R	U	O	F	E	H	T	E	R	I
S	E	R	U	T	A	E	R	C	P	A	L	P	V	H	V
N	I	G	E	X	Z	S	C	O	M	L	W	J	E	T	I
Y	Y	M	N	V	H	Q	O	E	O	H	E	A	V	E	N
T	M	S	O	I	E	T	N	R	R	S	A	Y	I	N	G
A	H	H	P	D	S	R	C	T	T	R	L	F	O	N	Y
N	R	E	U	J	S	S	A	H	N	E	T	I	A	W	F
I	D	T	S	M	I	I	E	N	S	D	H	S	Z	Q	V
E	R	E	T	E	I	L	W	L	D	L	Y	T	Y	U	S
R	O	W	I	H	A	G	A	X	B	E	J	E	R	L	Z
E	N	U	S	M	O	I	H	C	H	E	V	W	A	A	M
H	O	Z	B	R	N	U	V	T	O	H	Y	E	N	K	E
T	H	N	W	O	D	L	L	E	F	T	S	S	R	H	N

51 Ecclesiastes 7:19-21

WISDOM

STRENGTHENETH

THE WISE

MORE THAN

TEN MIGHTY MEN

WHICH are

IN THE CITY.

FOR THERE

IS NOT a

JUST MAN

UPON EARTH, that

DOETH GOOD, and

SINNETH NOT.

ALSO

TAKE NO HEED

UNTO

ALL WORDS that

are SPOKEN;

LEST CURSE

THOU HEAR THEE.

THY SERVANT

G	U	U	P	A	U	T	H	Y	S	E	R	V	A	N	T
N	A	M	T	S	U	J	A	D	D	H	D	I	O	A	H
N	B	S	Y	M	Z	L	O	K	D	T	N	F	W	P	E
L	E	N	P	Y	L	E	H	W	E	E	F	O	H	T	W
L	C	K	D	W	T	P	P	C	M	N	U	R	L	O	I
P	B	E	O	H	C	N	V	Y	I	E	O	T	V	N	S
V	O	R	G	P	E	H	T	K	O	H	D	H	N	H	E
Y	D	O	M	B	S	H	T	O	S	T	W	E	E	T	P
S	O	T	N	U	G	M	T	R	L	G	K	R	S	E	D
D	M	X	O	I	N	O	O	Y	A	N	V	E	R	N	D
B	O	I	M	K	N	J	L	R	J	E	J	J	U	N	W
C	O	N	L	S	P	N	I	H	E	R	N	T	C	I	C
T	E	V	I	N	T	H	E	C	I	T	Y	O	S	S	R
T	H	O	U	H	E	A	R	N	J	S	H	D	P	Q	Q
N	Y	E	F	D	R	V	Y	Y	N	T	O	A	A	U	P
G	W	F	E	U	M	S	B	A	R	M	P	F	N	I	P

Answers

PUZZLE 2

S F P J A C J E A A Y E O R T P
K A X N W W C S F W A B V I W F
F C G P A B F K H L A G E A H N
G E A X U M W E S C R Y M E E Y
R E J O W L L E J L R S C I N L
R H H G I P L S A I D S T R I U
P T H U T S Z I R F D H O K E B
I X G K Y H E T W O E J N C F M
M I I I O L O R D R J M I U E N
I R A F A C G N V S Q O W V E D
V E M U A N O I T A V L A S Y V
B W U L H G S M B K N H I F W S
U S K M Z T T R A E H T D F K F
X N T H U N E D L E S M O P E T
Y A T U K M O R F A O N G J H B
B W N O P U I Q H I D E O Y G V

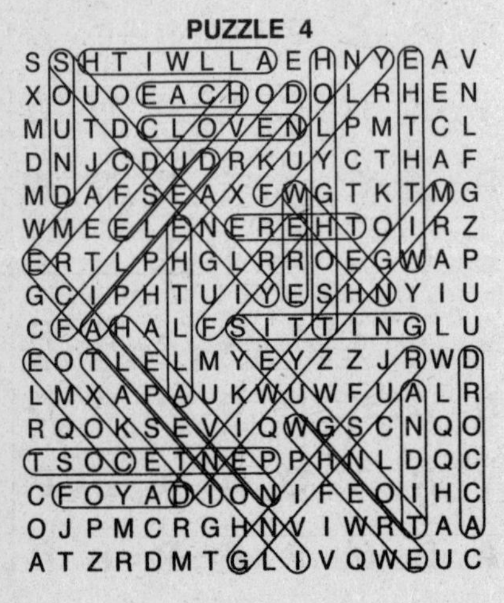

PUZZLE 6

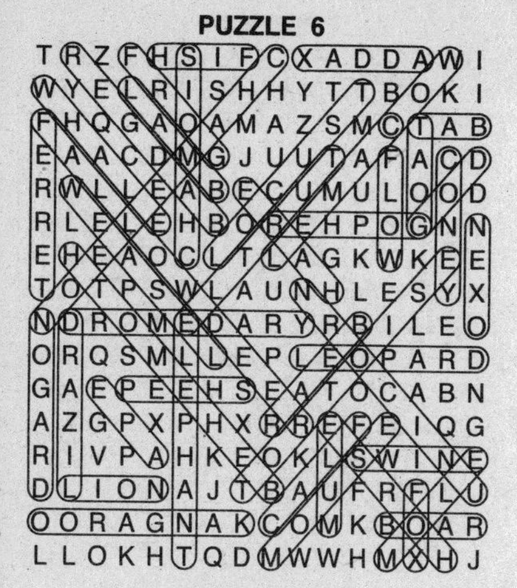

PUZZLE 7

R W Y O N H N I M R O D N N O O
A S X N S P N A G G E C E B L X
Z G O A H O D I A B W O R A V Z
Z V H N G E A Z N R C W E D K Q
E A F A D R O I F E A N U A M E
N L H O A O U O S H R I S N I C
D E S H B L E U M E N O A O E Z
A A A E I A S S D L M P P Z I V
H N D T V S D Q H A H X M E X T
C A D O I U D I R T M V Y M F S
U H I C Z B S I A S O N L U P A
B T R M T N H L B H O B O H N I
E A F F E O I A V Q W T A A F Z
N N I R I H P O N A A M H N H O
X N I C O D E M U S H O R N X N
K S A L O C I N R I R M O K I A

PUZZLE 8

T L C B Y R H J T F P R A J X L
E S A I A S S S E N R E D L I W
H T J K O F T O S N E E D X E D
P V Y R O R V A E Z A N L W K K
O A E R A P E R P Z C F T A A R
R Y T I P D U X F K H S N T M U
P H G H U T T N A O I S I H T O
E H E J S K C E S T N N O A O V
T H E L O R D V P A G E G N C J
P H E O Y N A A E H Y X K D P P
C K O I P A B E G T N I H O O T
T J N S Y P W H B E O C N E P M
V G Y N E R Q E Q H F K H G I S
W A L E C I O V H U O T C C J B
D I L M Y K D R J T N E P E R F
X H I F Q K H N C I E V R P M E

PUZZLE 9

L N B W I D X X C L H D B B D T
F J E C N A R B M E M E R U O Y
K O T W R U X J E M F O Z O R T
F S R H T H D R I N K I K O L B
W G A Y E E E A R E N N A M U B
G H Y T O C S H N M J K T Z C P
W I E B F U U T C V G L H T J Z
K E D N V O B P A I I D A W N K
V G I T H I S I S M H E N F W D
P M A N B A D A E U E W K D E O
K W S O Y U F R N K S N S A M D
M J D I K E I E A W Z E T H A S
L Y N W L W V T H G I N J E S I
F G A Q J I U F P H K B R H A H
N H Y Z G C O A L S E B M G P T
D O O L B X M X G E K O R B E H

PUZZLE 10

K Y C L R T B L E S S B S J I M
Z G W N A M E L N E S I O N S R
R I N W O N K D T K O Y E V T P
P R A I S E D F E J F S L A M I
P Q S E V L E S R U O B P C D K
G R A O P I T S L I Z L O O R H
A T E E D E G O S M Q U E M O C
T A E S C B I S N G X F P M L F
E H Y K E O E N K D T K F H G G
S T N F A N U D T N N N P G Z R
U D O C D M C R A O A A A U H K
S R O A L L Y E T M E H S A I W
E Z L G N I G N I S T T T J E I
R G D Y S P U H M I N H U A K P
V V A K P I C T W A H K R Y C A
E R R R U E A F M G T E E H O L

PUZZLE 11

R H L N Y Z N K S A T T X B O I
R M A S T A E K F X W R R E S B
I M W V E H Z V P A M A C W H Y
E P B Y E F A D I K E E P L E H
X D E T S U R T E L K H H V L O
A F H S D W E W S H A L L T B L
C E O E U T S L A D L E I H S Y
T A L F H A U C J I N Y I B I D
F R D T R O C P U I D C D Q B Y
R E E K S O O E M O R R E O M I
Q U A J R L M A B X O E L P R B
Q P O D O T F D G L F M I Z O B
A O I R H I S M E R C Y V C W H
K N D L O F C H G A L H E N A B
G O E E H T T E X B T T R V V K
P B Z S K R C N S I E H Y S I C

PUZZLE 12

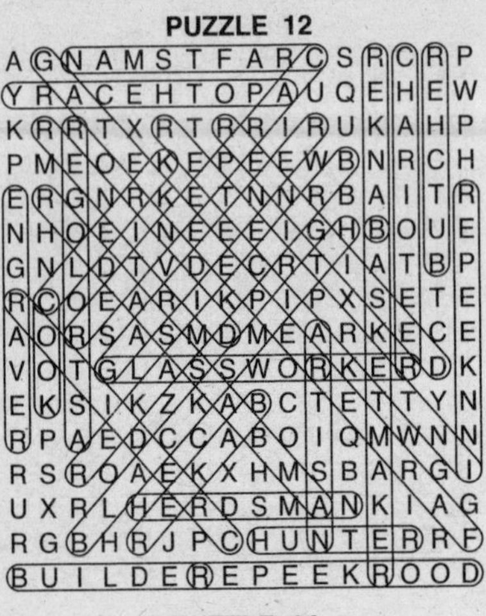

PUZZLE 13

V S M Q N R O N A I C I S U M N
C H T E N T M A K E R E H R A R
N N U Q R A S A H G D F Y I G E
R A G E S C L O G P S C C B I G
E P M O G K H C L I D I A M C N
V S N H I D L A L D S M E S I E
A T C R C B U V N Y I T H X A S
E O M Y E T E J H T N E R P N S
W N R N I R A P Q A P P R A D E
P E E H S I U W M H V P O R T M
R C T M L Z L S E P O R T E R E
O U I E S A D R A U J C I L T P
P T R K W O D P R E A C H E R S
H T W Y O P O T T E R P U W A J
E E E W E R E H C A E T M E T D
T R O T C E L L O C X A T J H E

PUZZLE 14

D L W D S A Q M J F I H W G O Q
S B T H E Y L J Y R N G F Y I F
H D X J S R X L H R D M F W W P
B T F B R I X U T S E C I P S K
T R U J O J L L R H Y V M A I S
R O O P H X F V A F E V E N K H
S M Z U D E D E E C X E G W J Z
G R R W G A A S E R Z S I O D Y
D A K Y I H H Q H S O S E Z L H
P R E S E N T D T L D E R L R D
D I H C I H W N O O H L Q A A T
A C J L G H E M M G S S E E T S
D H T U E M O Z W T D Y M S E L
O E O A R N V F U F Z R Y L N H
I S R A E H O T E I S V U U N D
R T G E U F H E M E C M O D H Y

PUZZLE 15

A Y E H M H T I W S J K O P S P
M T O W H Y O C W M Y B N H Y E
M P A B M D G N T Z F R O M L L
I W I L L F E A R S E M I T L B
R U L E L Q T L M H A F Y A A M
D A B S T A H T I G H K H Y U U
M N C S D L E P N V K S Q L N H
Y O A K H M R I E B E A O G I D
D O U E C H F X K S N R L Y T I
B R M T M Y A T I D D A E U N W
X R A E H L L A H S D E T D O S
Y O K E T X R E T G F P U E C S
L L E M H P Y D M E U T S H M F
W K M M M M T H E R E O F T P D
B H A S J B N L Z U Y V S N D P
W F N V I J S T V R V I L I Z L

PUZZLE 16

Y H T L A E W S C K V G D M G
T J H Z U A R D L T J E G G U
I R G X Z E E W A E E V V M P
L S I W W A O H G U M S D I R
A E R O T R H D O M G A T S L
R N P H R P Y P D N D O C E S
O U U O X E N T I L O M Z R D
M T S P H I T S I L C R V Y C
P R A Y E R S B C R E H F V T
N O I T C E R R U S E R T S R
D F J V L A N D G F I C N P I
A S U B Z S U F F E R I N G A
E I H T I A F W N I S Q K I L
H M M O C K E D H R T X C Y S
T F O T E Y S Q X G S H W O S

PUZZLE 17

M M F Q U N W O H S U A Q R W Y
O Y N V P T I H K A S U E V I G
D C H Z I H F T I I N H W Q L D
G F L K Q I V O R C T D A U L A
N I G O B S D F R A H P T F B E
I O E N O D E B F G T E R H T R
K U I E M A N Y H T I O A B E B
U R N T W Y R O L G M V M V U L
R D B H A L L O W E D B E U E K
X E F D D T J G V A R R D A N N
F B V N A J P I X U O H D O E H
K T L I I N L M J F T O T R M B
R S Z S L C O M E R E I E P A M
B J D I Y E A I A T N W A C W Y
F U F T Z E D E B T O R S X Y O
E T H I N E A N O P G Y E A X Z

PUZZLE 18

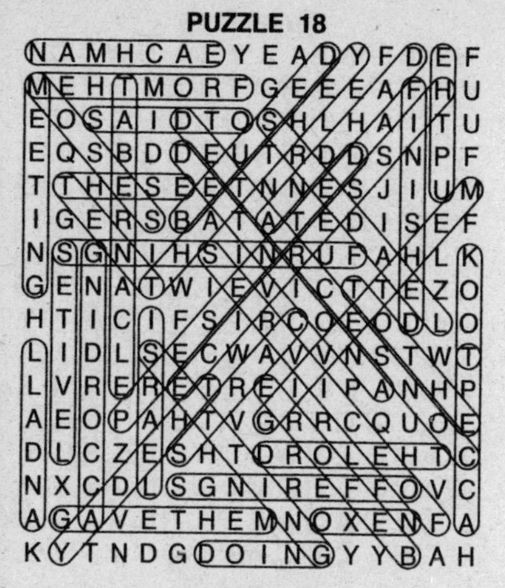

PUZZLE 19

D E M L E H W R E V O D V Y F N
Y D L L Q R R R Z T N T H V X Z
R I J C Z T S P G A E A N R R J
C B P R A Y E R S H S T F U H V
Y A R N Y N R T F T C T O R Q K
M L K H M R R X B H T E N W O X
R L B K E O H E A R T E I G E M
A I X H N F E V B C Y N O T K R
E W G G E N O G H A G D H I U N
H I W I L L T R U S T O X A F E
H F T H E E F K E T U F P T H H
I X J R O H A V O V N D A T R W
P L T M A T S D L R E T L E H S
R R L C J R U Z M R L R V N K B
T I R I N A H T S E Z O P D H R
R U B T W E L U L K C O R S S T

PUZZLE 20

Z M W T C D A R E H T A F K F T
C L P H H H E S H A L L R G A G
V O I H X T T L F P Y O L V F N
N L R Y I A R O L E S N U O C I
D O I D B S T O Z A T T R O T T
N J E L E M N I F C C E Q S N S
K U I N C R E A S E V W U E G A
Y S B N D K M W M E C O M S N L
H T H P O I G Q R E T N T P E R
K I W O G P D K V N R D E K V E
J C V H U Z U I U E Y E C H I V
A E T A S L J G V X V R N O G E
N Y K I N G D O M A E F I Q I G
D T H E R E G E S R D U R N Q R
T F W V J E N O R H T L P U S F
O T F Z Y L N R O B Z N V B E Y

PUZZLE 21

I E U D E P T H M Y N A R O N V
S O M F N N C C B Z S F D X O I
R T P O E O X R H N O E H C I N
E H J S C D I M E R D E F D T G
W E E W D O Q T I A I R I I A Q
O R T O K G T A U G T S O F L S
P R H R Y F M S H C T U T L U M
Z E I D L O R T S R E A R S B C
G H N A K E D N E S S S E E I H
N T G Y P V T S X S M J R A R H
B I S U H O S E P A R A T E T C
S E I T I L A P I C N I R P P I
E N A N G E L S E N I M A F B H
R E S B X H S A P Q H H R X S W
D F F H L T L M H C N O E L C D
T V L I R E P Z O S M M Z W H J

PUZZLE 22

P F U K B S Q H Y E T R A E H G
R E E N C O R T E N E B V E S A
O C Y T U R N A W A Y I F V B T
D N E B X E E E E C L I V U K D
U A S U L N H F S Y L I N U S A
C T T P I G O G R G F D N L C W
E S I W T O N E B E A D F G E E
S B U H F I O I A N S I A L M B
N U R F H S R R T P R H F Y Y L
R S F C I U T Z H S L A M K S L
A R A F M H H A T T R W B E O I
B E N N E Z E J V E G U Z E N W
T F Z L D E L L I F F N B P W T
R U O Y L U O Y E V I G E T M I
P R U J F O R G E T H S E L F G
D S T N E M D N A M M O C Y M D

PUZZLE 23

A E R S L A U T E P R E P W X Y
H G L E S Y J I Z D G A H U M W
Q C M B T E M M O E L P O E P L
G O L L U S N E F S H R N V L B
C S P C F O I S O D E E O A V Y
S S U P N X R N U U U I H W C L
D E S T R U C T I O N S T K A D
E N F G V E H B H M E Y L I H E
S T S A G R S T H A S T R H C R
T H B E O K O S C P F O H S V A
R G R N L L I W S O M P T G S P
O I E D E H S I R E P G I M I E
Y R G U D L D E M H D B W U T R
E P D R N O V V X L A V U H V P
D U U E R E F U G E H T O T S E
D F J F R T F N T B W G H W F C

PUZZLE 24

PUZZLE 25

H S B S G E L L X G L U W O C K
P E Z G I M H N T J C X W J N W
S V P I T O L L U A H H C R O V
W I T L R E N X R K L E O F R Z
M L I E B S P M T R H B R B E O
V O B A K B E H A B A R I M M B
C F N D N L L T R T G T I Y O E
D O M P R I E Q I A S Z D R W N
N H L Z E X S H A L I H C A H Y
L K I I V O B M T R P M H V L J
N M V O M L A B E E M O V L T B
E A M N Q I J G X O B R H A V S
U X S E L U W Y Q V Y I R C E P
G A B H E R O M B U U A D V O A
H K E L A M A S E I R H D U Q H
G G G I L B O A P A U X Z I C W

PUZZLE 26

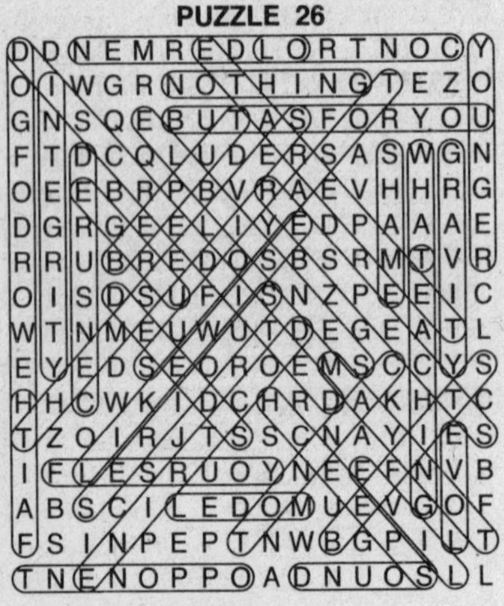

PUZZLE 27

P R U N G E D Q S R H C I R G J
T C U I T J S H X F K U E O F C
W O Y N P H U R E G S M G N L S
H N W T N M E F Y I A O N O U N
J C M E I E V H H N F B O H O A
C E E L B C T Y E M E B R I N M
O I I K T H G H A A E O T D X F
G T S W G N T N T F R C S H S L
Y H N F W A L L O W U T A O P K
Y J L I P M N R A R R X S T R N
N O D R O L E H T E T J I H S W
D G S F R A R S X D W S E V V O
I R I G H T E O U S Z I S H I S
T L T G I D Z C A B L A H F E I
J B I Z B K C M B Y T H G U A H
I H V Y Q W W J H L O Z O Q H H

PUZZLE 28

PUZZLE 29

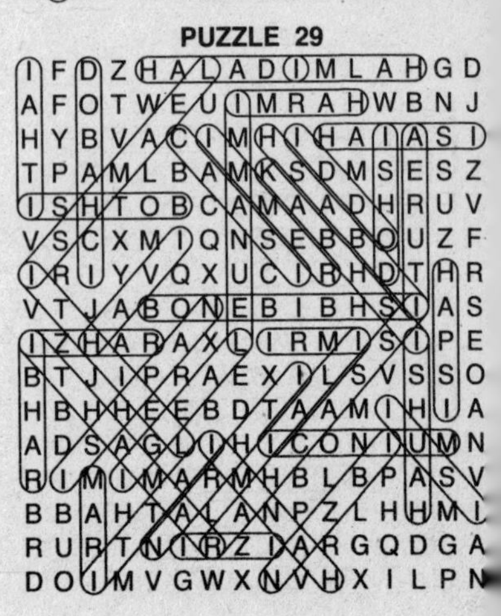

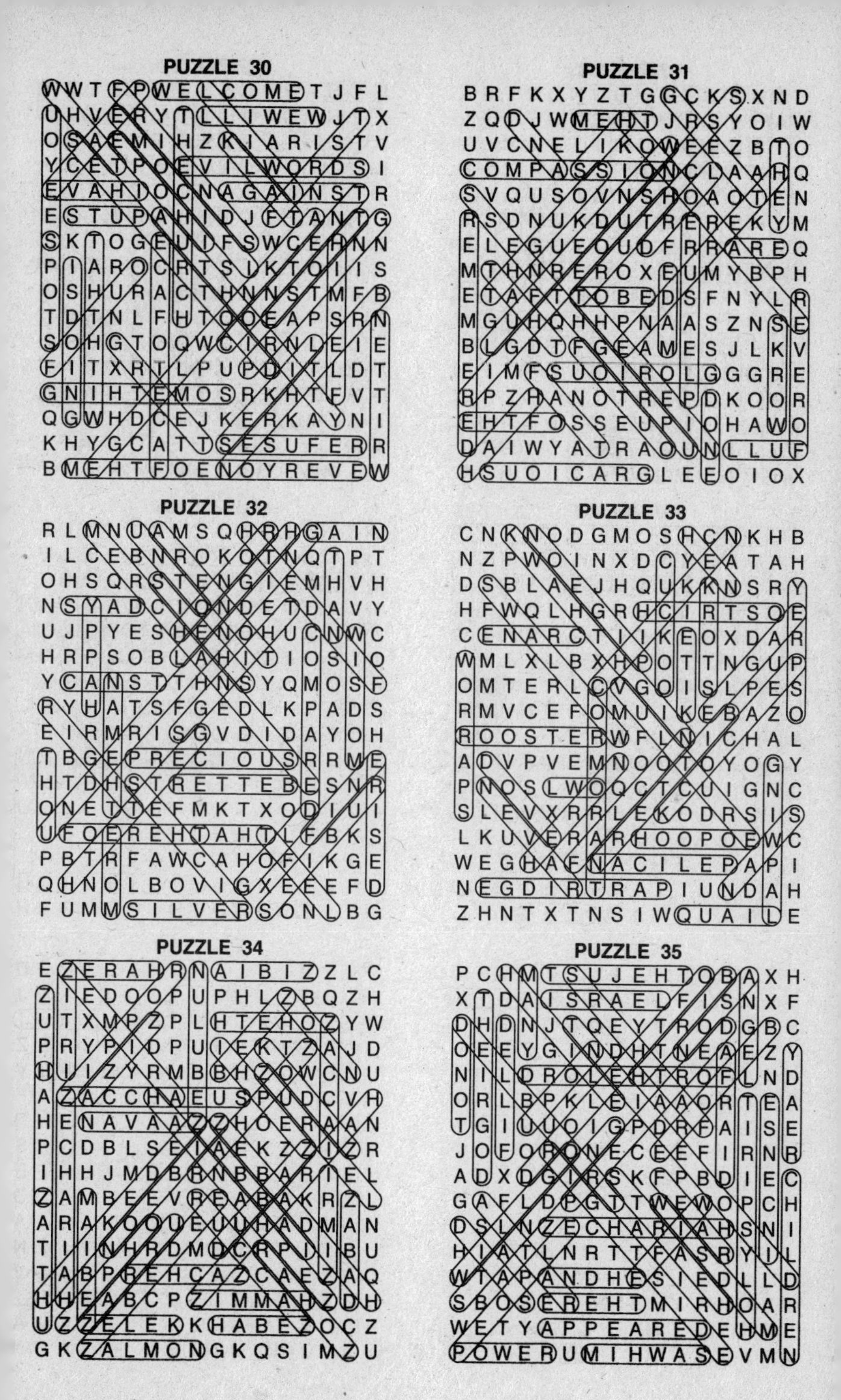
PUZZLE 30
PUZZLE 31
PUZZLE 32
PUZZLE 33
PUZZLE 34
PUZZLE 35

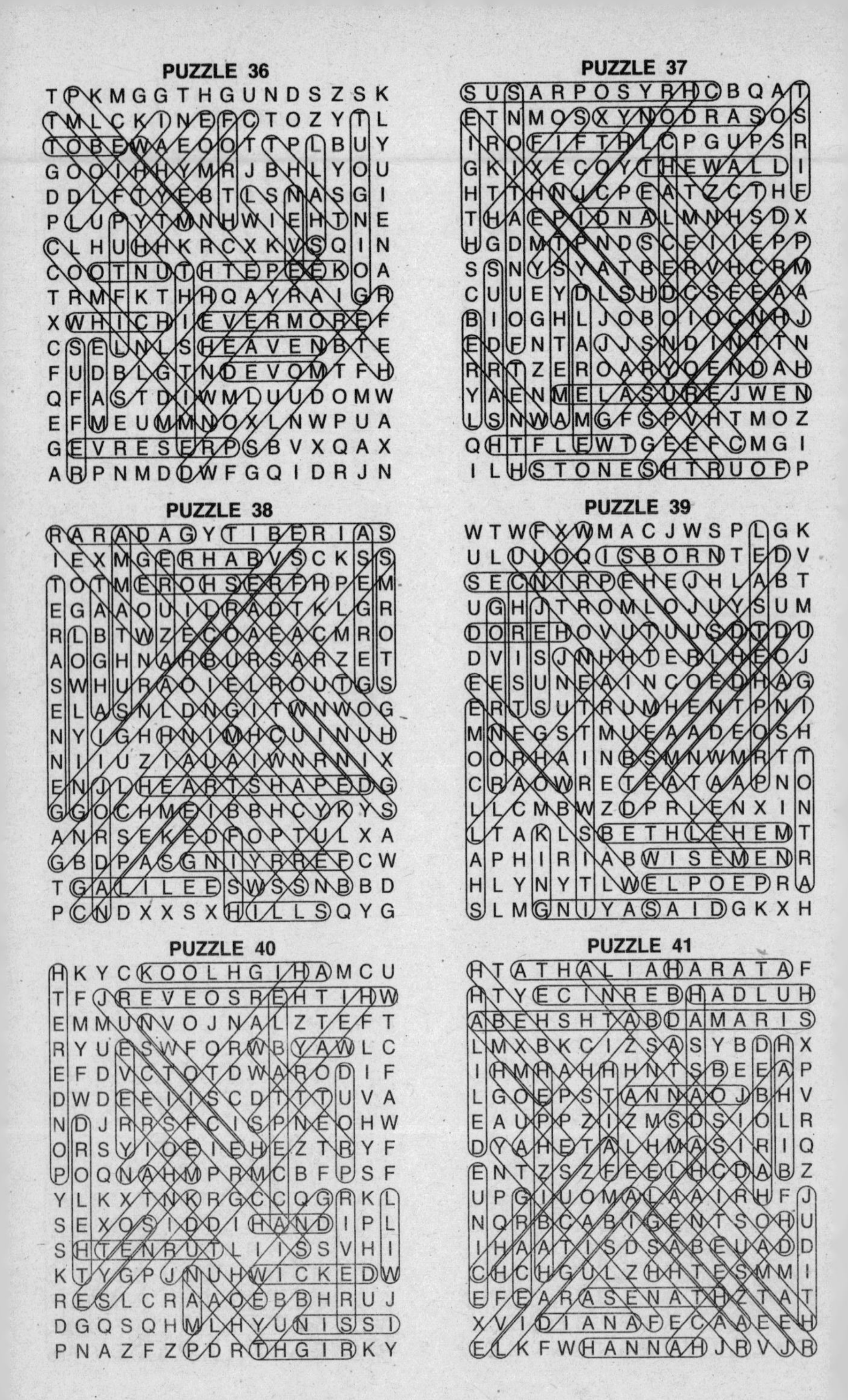
PUZZLE 36
PUZZLE 37
PUZZLE 38
PUZZLE 39
PUZZLE 40
PUZZLE 41

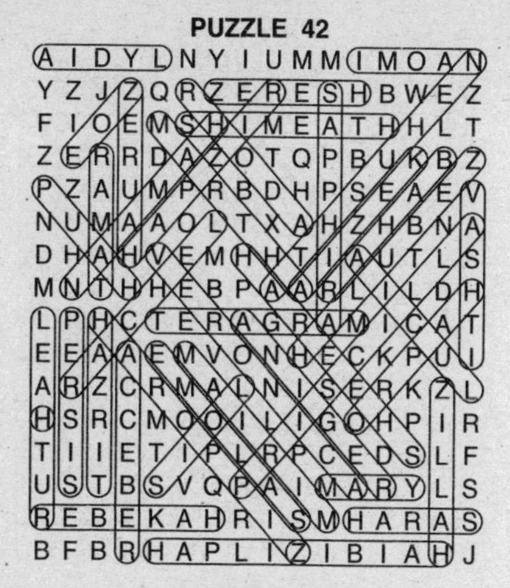

PUZZLE 43

I D L L A H S I E Y R P T H Q N
V E P U T F I L L L I W I D E O
N Q J F O T G G J P M H K J G P
R S G Y M S L X L O V I N G J U
B N K O M E Y B W G V L R I E E
E E B J Y B M M Q L S E N F M T
D H C D M P Z A Y D B I I Y A A
F T X A O Q H D N M G L L J R T
Z N X M U I E A E H K I Q R R I
P I Y H T S H M T I P V V G O D
B R O M H Y E Z N S F E N Y W E
X L A N M R C D D J C S L U U M
Z E E I I R N T H U S W I L L I
Q H E S S E N T A F B E T T E R
W I T H S E W I B I O C L N A A
S W N S T M D E A W R A L A H S

PUZZLE 44

Z I L S E S O M H I X X T W T Z
T M S N R Y E R E H T M F M C U
A O E A N T N E N A B R A H A M
N P E O A I T E I Y T R I H T X
I Y R V N C D P G T B L R U Y O
S Q T L I V E A X A D G I C T N
E K Q Z W B N L O R E Q E O N J
W D K L O E R M E X R H H P E B
I D E C L I U N M S D H T R W S
P L A I N S O S H O N V I E T Z
H J R F D R M O S D U C F O O W
S A G W L A W Y A I H N B Q D F
D V N O Q E E Y J O E E T Q T G
U Z E Z D L S L A O N L Y A G O
B D N A L D E S I M O R P X I G
T B M G Z Z C K V G Z Z K E A N

PUZZLE 45

R B K L S B H T U G L N Y D O M
T N M B P G L L G C H O S E N W
V A N O I T A D N U O F H S C E
L Y N S R R S W I Z D B O S S Q
E V I W I T H I D L E W U E T N
Z Q J F T N L E R F Z G L L Z Y
W A D Q U Z V O O H A C D B L L
C S O E A O W R C U C T Y O A K
E H G M L E E I C H R S H D N X
N E D N H H S M A C A L U E Y M
K Z I T I E G W A N A T O S R K
U U K M C S Z K F L M U H R E C
I C T A H T S M P I B V L Q D J
R Y L N E V A E H P U P S T U Q
R P Y J W T T V L V T F G K R S
E H T E R O F E B B M U O D X P

PUZZLE 46

G O O D N U R I A P B T H C O D
D B N E R O F E R E H T H A T Q
K A E L F F N O H O L Z W L T H
H F Y S Y R N O O T N U A I F H
J Q A O O O L V D T D D M V T F
G C R S U D V N I G F N T E Q H
I Q Z N R R E V L R E S A M S U
O R C T W M D B V U P E N B I B
V E Y E A S A O O O E L R G I H
D L H W Y M Z B I Y E A D B L H
N R O T S S L E C N W O N L N E
E N D R E K T Y E I G S H V L Q
S G I P D M E B L W U S I Q Z C
X U B U J C E L K Z G J D M V J
E P H D T P M E F J Z G M F U U
B E C A G A I N S T N E P E R Q

PUZZLE 47

S S Q E T A H D S P R O U D D A
C H N E M L E O G T U T H E S E
S D T O K V R D N C N X K S G A
T E N E I P O E I C N C V P H H
R G V S W T C P H W I T N E S S
A T E E H O A L T W N G G A V B
E T N A N N S N X Y G C N K X Q
H X S N B W D M I S C H I E F M
D V I K K R T E S G W C Y T D U
E U G N O T E H O Q A D L H F J
H E E C N O I T A N I M O B A N
A A S I B Q V O H T M I I I U N
N I R L K O F M E R S C K L N C
D X O E A N N E G L E H I O T C
S O V B A F F T O Q F N E R O T
D F X A T N F F T F I W S D P L

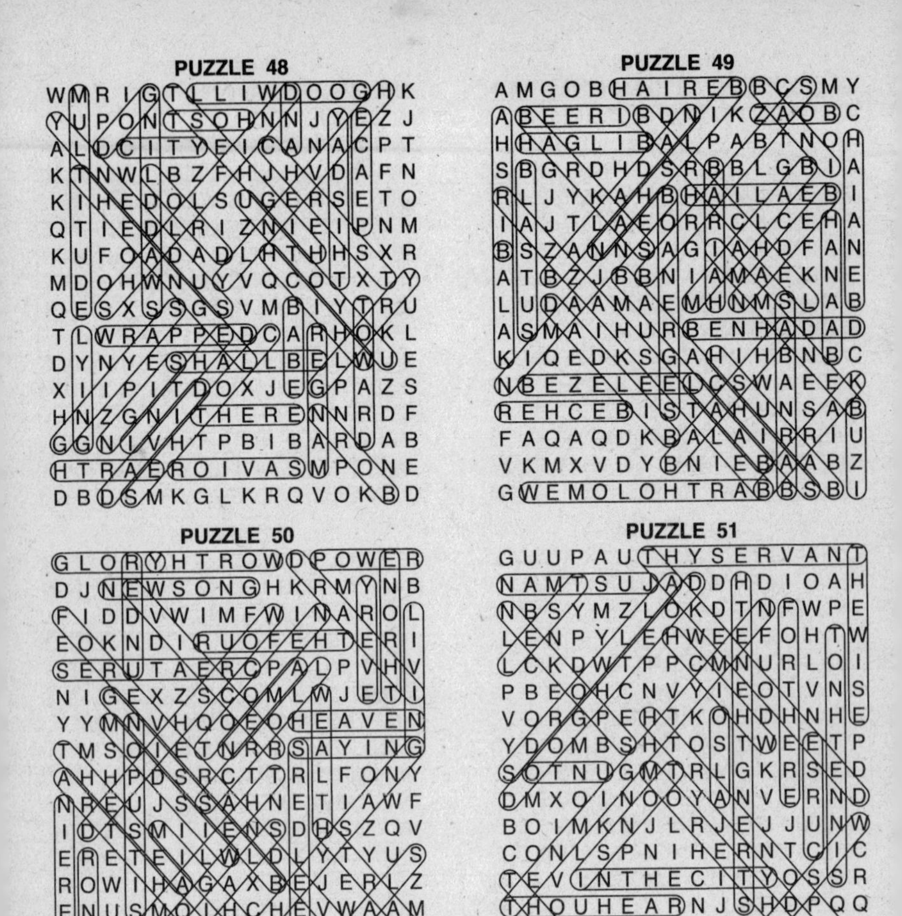
PUZZLE 48
PUZZLE 49
PUZZLE 50
PUZZLE 51